A ESCASSEZ NA ABUNDÂNCIA CAPITALISTA

CONTRACORRENTE

LUIZ GONZAGA BELLUZZO
GABRIEL GALÍPOLO

A ESCASSEZ NA ABUNDÂNCIA CAPITALISTA

São Paulo

2019

Copyright © EDITORA CONTRACORRENTE
Rua Dr. Cândido Espinheira, 560 | 3º andar
São Paulo – SP – Brasil | CEP 05004 000
www.editoracontracorrente.com.br
contato@editoracontracorrente.com.br

Editores
Camila Almeida Janela Valim
Gustavo Marinho de Carvalho
Rafael Valim

Conselho Editorial
Alysson Leandro Mascaro
(*Universidade de São Paulo – SP*)
Augusto Neves Dal Pozzo
(*Pontifícia Universidade Católica de São Paulo – PUC/SP*)
Daniel Wunder Hachem
(*Universidade Federal do Paraná – UFPR*)
Emerson Gabardo
(*Universidade Federal do Paraná – UFPR*)
Gilberto Bercovici
(*Universidade de São Paulo – USP*)
Heleno Taveira Torres
(*Universidade de São Paulo – USP*)
Jaime Rodríguez-Arana Muñoz
(*Universidade de La Coruña – Espanha*)
Pablo Ángel Gutiérrez Colantuono
(*Universidade Nacional de Comahue – Argentina*)
Pedro Serrano
(*Pontifícia Universidade Católica de São Paulo – PUC/SP*)
Silvio Luís Ferreira da Rocha
(*Pontifícia Universidade Católica de São Paulo – PUC/SP*)

Equipe editorial
Denise Dearo (design gráfico)
Mariela Santos Valim (capa)
Juliana Daglio (revisão)

Dados Internacionais de Catalogação na Publicação (CIP)
(Ficha Catalográfica elaborada pela Editora Contracorrente)

B449   BELLUZZO, Luiz Gonzaga; GALÍPOLO, Gabriel.
        A escassez na abundância capitalista | Luiz Gonzaga Belluzzo; Gabriel Galípolo – São Paulo: Editora Contracorrente, 2019.

        ISBN: 978-85-69220-61-9

        Inclui bibliografia

          1. Economia. 2. Economia política. 3. Capitalismo. 4. Desigualdade. I. Título.

                                                    CDD: 332.041
                                                    CDU: 33

Impresso no Brasil
Printed in Brazil

Este livro é dedicado ao meu amigo João Manuel Cardoso de Mello, companheiro de todas as horas, das boas e das amargas, sempre generoso e exigente no debate intelectual e irreverente nos embates entre o tricolor paulista e o alviverde imponente.

SUMÁRIO

INTRODUÇÃO: angústias da economia.................................... 9

CAPÍTULO I – MARCHAS E CONTRAMARCHAS DA ECONOMIA POLÍTICA: NATURALISMO, INDIVIDUALISMO, RACIONALISMO E EQUÍLIBRIO........ 15

1.1 A Revolução Marginalista e a Revolta dos Historicistas............. 30
1.2 A rebelião Historicista 35

CAPÍTULO II: ENTRE A LÓGICA E O TEMPO 41

CAPÍTULO III: OS TRANSTORNOS DA MODERNIDADE... 55

CAPÍTULO IV: KARL MARX, SOCIEDADE MODERNA E AUTONOMIA DO INDIVÍDUO.. 61

4.1 Revolução Industrial: promessas e contradições do regime do capital.. 62
    4.1.1 Capital fixo... 69
    4.1.2 Capital fixo e *general intellect* 73
    4.1.3 Globalização, Financeirização e Monopolização............ 75
    4.1.4 Capital fixo, mercado de trabalho e produtividade........... 88
    4.1.5 Apropriação rentista e consumismo 94
    4.1.6 Poder de mercado, rentismo e austeridade...................... 98

CAPÍTULO V: A MACROECONOMIA DE MARX, KALECKI E KEYNES 101

5.1 O sistema de crédito e a demanda efetiva 104

5.2 Excurso: o Demônio Monetário 106

5.3 O Demônio e suas diabruras 116

5.4 Fluxos (renda) e estoques (riqueza) 125

5.5 Keynes, a radicalidade incompreendida 129

5.6 Risco sistêmico e crise nos mercados financeiros 133

5.7 Desregulamentação, integração financeira e a emergência do risco Cambial 139

5.8 As crises financeiras do capitalismo 142

5.9 Câmbio semifixo, vulnerabilidade e risco sistêmico: o caso brasileiro 151

CAPÍTULO VI: GLOBALIZAÇÃO DESIGUAL E COMBINADA 155

6.1 Metamorfoses da riqueza capitalista e o avanço do rentismo 174

6.2 O *quantitative easing* e as metamorfoses da riqueza 181

6.3 Dominância financeira, aumento da desigualdade e demanda efetiva 191

REFERÊNCIAS BIBLIOGRÁFICAS 197

INTRODUÇÃO: ANGÚSTIAS DA ECONOMIA

O economista John Rapley escreveu o livro *Twilight of money gods*, adornado com o subtítulo *Economics as a religion, how it all went wrong*. Entre tantos desaforos à sabedoria dos sabichões que prestam serviços e reverências aos poderes dos mercados, Rapley indaga se os economistas se perguntam por que todo mundo se sente à vontade para participar de debates econômicos em vez de deixá-los para os especialistas, como fazem com a física e a medicina. O que economistas não costumam admitir é que, em uma variedade de tópicos que examinam, eles frequentemente tiveram de responder à pergunta antes de começarem seus estudos.

Cientistas supostamente têm de chegar às suas conclusões depois de pesquisar e avaliar as evidências, mas, em economia, conclusões podem vir primeiro, com economistas gravitando na direção de uma tese que se encaixa em sua visão moral do mundo. Não deveria ser surpresa. A economia sempre tem sido um exercício ético e social, sendo seu propósito a produção de regras pelas quais uma comunidade organiza sua produção. Não é acidental que Adam Smith, cujo trabalho em "A riqueza das nações" (1776) é frequentemente visto como o texto fundador da economia, tenha sido um filósofo moral. Entretanto, mesmo depois, o Santo Graal dos economistas consistiu em fazer de sua arte uma ciência, usando-a para revelar os códigos supostamente enterrados no coração da existência humana. Eles experimentaram com a matemática e ponderaram a revolução na biologia de Charles Darwin, mas demoraria até o fim do século 19 para que a economia finalmente encontrasse um modelo para si. Ela o encontrou na física. Se, por acaso, os economistas "científicos" se dispusessem a abandonar por algum tempo os *papers* tediosos e inúteis, seus neurônios poderiam entrar em saudável desassossego.

Desassossego que, na posteridade da crise de 2008, perturbou o professor da *Hertie School of Governance* em Berlim, Jean Pisani-Ferry. Ele decidiu se debruçar sobre as razões da "cólera contra aqueles que representam o conhecimento e a *expertise*".

Abrimos aspas para o economista francês: "A primeira explicação se refere à baixa estima dos eleitores por aqueles que não foram capazes de advertir contra o risco de uma crise financeira em 2008 (...). As suspeitas que pesam sobre os economistas, apresentados em 2010 pelo filme *Inside Job* como capturados pela indústria financeira, estão longe de terem sido removidas. As pessoas estão em cólera contra o que parece uma nova traição dos intelectuais".

No mundo desenvolvido ou, como querem alguns, nos países avançados, torna-se mais azedo o azedume com as recomendações e previsões de economistas. Livros e artigos investem contra as cidadelas tão frágeis quanto soberbas da sabedoria econômica. Três jovens economistas do movimento *Rethinkig Economics* – Joe Earle, Cahal Moran e Zach Ward-Perkins – escreveram um livro devastador em sua serenidade: *Econocracy*. Subtítulo: *o perigo de deixar a economia para os especialistas.*

O livro recebeu avaliações elogiosas de Robert Skidelsky, o biógrafo de Keynes e de Martin Wolf, editor e colunista do Financial Times. Wolf dá uma estocada no fígado das Universidades que formam economistas com treinamento estreito e obtuso, viciados em "manipular equações baseadas em suposições irrealistas". A matemática de Bertrand Russel e Kurt Gödel é usada como escudo protetor dos modelos Dinâmicos Estocásticos de Equilíbrio Geral, infestados de hipóteses tolas como as que reverenciam as expectativas racionais e o agente representativo.

INTRODUÇÃO: ANGÚSTIAS DA ECONOMIA

Na posteridade da crise, o *IEO* (*Independent Evaluation Office*) do Fundo Monetário Internacional criticou severamente as previsões dos macroeconomistas do Fundo. Os sábios do FMI não tugiram nem mugiram quando já eram ensurdecedores os ruídos da crise que se avizinhava. Hoje, os economistas do Fundo reconhecem a persistência da crise.

Na visão do comitê independente, os erros crassos e as omissões bizarras decorreram do "aprisionamento dos grupos homogêneos e coesos nos paradigmas convencionais sem questionar suas premissas básicas". A crença na baixa probabilidade da eclosão de crises já está inscrita nas premissas dos modelos utilizados por instituições de prestígio nacional e internacional. O que está suposto no início é concluído no fim, um típico ritual tautológico da inteligência econômica contemporânea. O ritual e os salamaleques são celebrados em todos os templos do planeta encarregados de assegurar as crenças nos dogmas da Ciência Triste.

Encantados com o mito dos modelos Dinâmicos Estocásticos de Equilíbrio Geral (DSGE, em inglês), os sacerdotes submetem-se aos ritos do rigor formal para encobrir as fragilidades teóricas e conceituais. Na interpretação do relatório do IEO, esses modelos "incluem o dinheiro e os mercados de ativos financeiros de uma forma rudimentar (...), mas talvez seja mais preocupante a sobreutilização pelos economistas de 'modelos' como únicos instrumentos válidos para analisar processos econômicos muito complexos".

Nem mesmo a dinâmica nada estocástica da crise financeira convenceu os crentes recalcitrantes a mudar suas premissas a respeito das inter-relações entre mercados financeiros, crédito e moeda no capitalismo moderno.

Na aurora da crise financeira, Willem Buiter, hoje economista-chefe do Citigroup, apontou as armas da crítica na direção dos sistemas financeiros "intrinsecamente disfuncionais, ineficientes, injustos e regressivos, vulneráveis a episódios de colapso", um exemplo de "capitalismo de compadres", sem paralelo na história econômica do Ocidente. "É uma questão interessante, para a qual não tenho resposta (...). Não sei se os que presidiram e contribuíram para a criação e operação (*desse sistema*) eram ignorantes, cognitivamente e culturalmente capturados ou, talvez, capturados de forma mais direta e convencional pelos interesses financeiros".

Captura intelectual é uma expressão eufêmica para designar as genuflexões diante do pensamento dominante, numa prova de que o entendimento iluminista sucumbe a seus próprios mitos. Na *Dialética do Esclarecimento*, Adorno e Horkheimer espantam-se diante da "disposição enigmática das massas tecnologicamente educadas a deixar dominar-se pelo fascínio de um despotismo qualquer".

As crises financeiras multiplicaram-se desde os anos 1980. A despeito dos sucessivos episódios de falência múltipla dos órgãos da economia global, são raros os sinais de autocrítica ou de contrição nos falanstérios do solipsismo econômico. O "choque de realidade" desatado pela crise foi suficientemente "robusto" para levantar as sobrancelhas de alguns curandeiros dos mercados desimpedidos.

A concorrência generalizada se impõe aos indivíduos como uma força externa, irresistível. Por isso é preciso intensificar o esforço no trabalho na busca do improvável equilíbrio entre a incessante multiplicação das necessidades e os meios necessários para satisfazê-las, buscar novas emoções, cultivar a angústia porque é impossível ganhar a paz.

O avanço tecnológico e os ganhos de produtividade não impediram a intensificação do ritmo de trabalho. Essa foi a conclusão de estudos recentes da Organização Internacional do Trabalho e de outras instituições que lidam com o assunto. Entre os que estão empregados, o trabalho se intensificou. Nos Estados Unidos, por exemplo, as horas trabalhadas cresceram em todos os setores.

No outro lado da cerca, estão os que se tornaram compulsoriamente independentes do trabalho, os desempregados. O desemprego global cresceu muito no mundo desenvolvido, ao mesmo tempo em que o trabalho se intensificou nas regiões para onde se deslocou a produção manufatureira. As estratégias de localização da corporação globalizada introduziram importantes mutações nos padrões organizacionais:

INTRODUÇÃO: ANGÚSTIAS DA ECONOMIA

constituição de empresas-rede, com *centralização* das funções de decisão e de inovação e *terceirização* das operações comerciais, industriais e de serviços em geral.

As novas formas financeiras contribuíram para aumentar o poder das corporações internacionalizadas sobre grandes massas de trabalhadores, permitindo a "arbitragem" entre as regiões e nivelando por baixo a taxa de salários. As fusões e aquisições acompanharam o deslocamento das empresas que operam em múltiplos mercados. Esse movimento não só garantiu um maior controle dos mercados, mas também ampliou o fosso entre o desempenho dos sistemas empresariais "globalizados" e as economias territoriais submetidas a regras jurídico-políticas dos Estados nacionais. A abertura dos mercados e o acirramento da concorrência coexistem com a tendência ao monopólio e debilitam a força dos sindicatos e dos trabalhadores "autônomos", fazendo periclitar a sobrevivência dos direitos sociais e econômicos, considerados um obstáculo à operação das leis de concorrência.

Restringem, portanto, a soberania estatal e impedem que os cidadãos, no exercício da política democrática, tenham capacidade de decidir sobre a própria vida.

As reformas realizadas nas últimas décadas cuidaram de transferir os riscos para os indivíduos dispersos, ao mesmo tempo em que buscaram o Estado e sua força coletiva para enfrentar a concorrência desaçaimada e, nos tempos de crise, limitar as perdas provocadas pelos episódios de desvalorização da riqueza. A intensificação da concorrência entre as empresas no espaço global não só acelerou o processo de centralização da riqueza e da renda como submeteu os cidadãos às angústias da insegurança.

Os efeitos do acirramento da concorrência entre empresas e trabalhadores são inequívocos: foram revertidas as tendências à maior igualdade observadas no período que vai do final da Segunda Guerra até meados dos anos 70 – tanto no interior das classes sociais quanto entre elas. Na era do capitalismo "turbinado" e financeirizado, os frutos do crescimento se concentraram nas mãos dos detentores de carteiras de títulos que representam direitos à apropriação da renda e da riqueza. Para os demais perduram a ameaça do desemprego, a crescente insegurança e precariedade das novas ocupações, a exclusão social.

Nos Estados Unidos, os fatores decisivos para o comportamento decepcionante dos rendimentos da maioria da população foram, sem dúvida, a diminuição do poder dos sindicatos e a redução no número de sindicalizados, o crescimento do trabalho em tempo parcial e à título precário e a destruição dos postos de trabalho mais qualificados na indústria de transformação, sob o impacto da concorrência chinesa.

O lento crescimento da renda das famílias de classe média foi acompanhado pelo aumento das horas trabalhadas, por conta da maior participação das mulheres, das casadas em particular, no mercado de trabalho. Nas famílias com filhos, as mulheres acrescentaram, entre 1979 e 2000, quinhentas horas de trabalho ao total despendido pelo casal.

Não resta sequer a ilusão de que a maior desigualdade foi compensada por uma maior mobilidade das famílias e dos indivíduos, desde os níveis mais baixos até os mais elevados da escala de renda e riqueza. Para surpresa de muitos, o estudo mostra que a mobilidade social nunca foi tão baixa no país das oportunidades. Há quarenta anos, se alguém perdesse o emprego, poderia se mobilizar contra o patronato ou contra o governo, acusando-o de estar executando uma política econômica equivocada. Ainda que se possa fazer isso hoje, provavelmente o governo vai responder que tudo ocorreu como consequência inevitável da globalização.

As novas teorias, aquelas que constituem hoje a chamada *corrente principal* do pensamento econômico, estão mais comprometidas em demonstrar que é improvável ocorrer o fenômeno que os velhos economistas investigavam. No rol dos malditos estão, entre tantos, Keynes, Schumpeter, Mitchell, Kalecki, Minsky.

Mas – é bom repetir – as façanhas do velho e nem sempre surpreendente capitalismo (pródigo em *crashes* e pânicos) lançaram no torvelinho da descrença as arrogâncias e certezas dos sabichões. Mas, para quem não sabe de seus prodígios, a fé não só é capaz de mover montanhas como tem força para negar a realidade.

Capítulo I

MARCHAS E CONTRAMARCHAS DA ECONOMIA POLÍTICA
Naturalismo, individualismo, racionalismo e equilíbrio

Neste capítulo não pretendemos escrever mais uma História do Pensamento Econômico. Aqui, o propósito é identificar os momentos de ruptura e continuidade que marcaram o desenvolvimento da Economia Política, desde o seu nascimento nos regaços do Iluminismo.

Da infância smithiana à maturidade caquética das expectativas racionais, os conflitos de concepção e de método assolaram a trajetória intelectual da Ciência Triste. As querelas terminaram invariavelmente na reafirmação do quarteto *naturalismo, individualismo, racionalismo e equilíbrio*, mimetismos científicos da dita corrente principal.

Não seria inconveniente começar com a *Fenomenologia do Espírito* de Hegel. O filósofo de Iena argumenta que na Antiguidade clássica e na Idade Média o indivíduo estava completamente submetido a uma ordem "objetiva", imutável e implacável do mundo. Esta cosmologia estava presente na religião grega, no mundo jurídico romano e, com algumas diferenças, na "ordem revelada" da Idade Média cristã. Mesmo os que, como Heráclito, fundavam sua reflexão sobre o "movimento universal", viam nele uma sucessão de desdobramentos da natureza e da sociedade que escapavam ou estavam acima da personalidade humana. O destino implacável não era, portanto, uma representação subjetiva do movimento do mundo, mas uma forma histórica da consciência dos homens.

Na aurora da Idade Moderna, a expansão do comércio nos poros da ordem feudal, a ciência experimental de Bacon e o "cogito" de Descartes desembaraçaram o sujeito de sua submissão ao mundo objetivo e estimularam o projeto do controle da natureza e do destino humano pela razão. Na História da Filosofia, o mesmo Hegel atribui a Descartes a ruptura com todas as filosofias anteriores "principalmente a que tomava como ponto de partida a autoridade da Igreja". Desde então, continua Hegel, "o pensamento deve partir do pensamento mesmo". O sujeito cobrou seus direitos de dominação, reivindicando o poder de suas Luzes, abominando os obstáculos da tradição ou de tudo que lhe figurasse contrário aos princípios de uma ordem natural, desvendada e comandada pela razão.

Sapere Aude! Exclama Emmanuel Kant em seu texto *O que é o Iluminismo*. Para Kant, a ousadia de entender por si mesmo liberta o homem de sua imatura dependência de outrem. A imaturidade é auto infligida. Não resulta da incapacidade dos homens, mas da falta de coragem para usar seu entendimento sem a guia do outro.

Na *Filosofia do Iluminismo,* Ernst Cassirer argumenta que "desintegrou-se a forma rígida da mundivisão antiga e medieval; o mundo deixa de ser um ´cosmo´ no sentido de uma ordem visível em seu todo, diretamente acessível à intuição. Espaço e tempo ampliam-se infinitamente: seria impossível continuar a concebê-los por meio dessa figura sólida que a cosmologia antiga possuíra na doutrina platônica dos cinco corpos regulares ou no universo escalar aristotélico, ou apreender sua grandeza por medidas e números finitos. Em vez desse mundo único e do ser único, eis que sobrevém a infinidade de mundos incansavelmente gerados no seio de um devir em que cada um representa apenas uma fase transitória, singular, do inesgotável processo vital do universo. Entretanto, a mudança essencial não reside nessa extensão ilimitada, mas,

CAPÍTULO I - MARCHAS E CONTRAMARCHAS

antes, no fato de que o espírito, até por causa dessa extensão, adquire consciência dessa nova força cuja presença sente em si mesmo. Tal concentração só confirma em sua própria e verdadeira natureza. A sua mais elevada energia e a sua mais profunda verdade não residem no poder de passar ao infinito, mas de se afirmar em face do infinito, de se mostrar igual em sua simples unidade à infinidade do ser".

Em seu livro *Enligthment*, Peter Gay discorre a respeito dos transtornos da consciência europeia na era do Iluminismo. Ele diz que o projeto iluminista pode ser sintetizado em duas palavras: crítica e poder. "Voltaire escreveu em uma correspondência privada que sabia odiar porque sabia amar. Outros filósofos também empregaram a crítica destrutiva como forma de limpar o terreno para o discurso construtivo e, assim, a crítica alcançou um papel criativo". E acrescenta: "Os europeus experimentaram uma vigorosa sensação de poder sobre a natureza e sobre si mesmos: os episódios de epidemias, fome, guerras, vida arriscada e morte pareciam finalmente à mercê da compreensão da inteligência crítica. O temor da mudança, até então universal, cedia passo para o terror da estagnação; a palavra inovação, antes concebida como um termo abusivo, tornou-se uma palavra de respeito".

A Razão auto esclarecedora derramou suas virtudes e carências na passagem da ordem feudal para a economia mercantil. A Economia Política dos fisiocratas expressava a presença e os conflitos da razão iluminista: as relações mercantis ainda não haviam se desvencilhado das formas de propriedade e de apropriação da riqueza que prevaleciam no *Ancien Régime*.

A atividade econômica dos fisiocratas se desenvolve em um "quadro" organizado. Os indivíduos estão subordinados a classes sociais no interior de um sistema ordenado, natural, que pode ser decifrado pelo uso da razão. O sistema de circulação de riqueza dos fisiocratas foi estabelecido à semelhança da circulação do sangue no organismo humano.

As classes sociais são órgãos semelhantes aos órgãos humanos através dos quais circula a riqueza da sociedade. A atividade econômica toma como paradigma o metabolismo do corpo humano. Aparece como processo biológico, portanto, humano e natural. Doutor Quesnay examina a ordem natural que supõe a atividade econômica exercida sem interferência políticas, externas. A frase *laissez-faire, laissez-passer* é de Mirabeau: não coloquem obstáculos à atividade natural do homem ao prover sua própria subsistência. Mas a fisiocracia não se desvencilha das relações sociais que prevaleciam no *Ancien Régime*, sob o predomínio da aristocracia agrária. O individualismo era apenas latente. O indivíduo, sua liberdade e propriedade estão subordinados às leis naturais de reprodução do sistema. Uma visão organicista e, ao mesmo tempo, racional e naturalista da sociedade e da economia.

Quais eram as classes sociais que intervinham no processo de circulação da riqueza? Eram os proprietários da terra, a classe manufatureira estéril e a classe dos agricultores capitalistas. A única classe produtiva era a classe dos agricultores, ou seja, aqueles que geravam um excedente, apropriado pelos proprietários da terra e pelo Estado através dos impostos. A manufatura integrava a classe estéril, porquanto não gerava excedente, mas apenas transformava os produtos que comprava da agricultura. A circulação da riqueza nos fisiocratas estava presa à ideia de que os bens essenciais eram aqueles que atendiam às necessidades básicas. Apenas a agricultura produzia bens essenciais e os outros bens eram considerados supérfluos como os produzidos pela manufatura, não essenciais à sobrevivência dos indivíduos. A essencialidade dos bens agrícolas tem uma derivação claramente material. O essencial do sistema é a reprodução dos valores de uso.

Diz Marx em sua obra *Grundrisse*: "Em razão disso, só pode ser produtivo o trabalho que tem lugar em um domínio tal que a força natural do instrumento de trabalho patentemente permite ao trabalhador produzir mais valores do que ele consome. Em consequência, o mais-valor não provém do trabalho enquanto tal, mas da força natural que é usada e comandada pelo trabalho – a agricultura".

O *Tableau Économique* da fisiocracia, prossegue Marx, revela em sua *imediatidade* a dissolução do sistema feudal e sua passagem para a economia mercantil. Marx usa a palavra *imediatidade* para designar a apreensão do fenômeno em sua manifestação mais aparente, sem que as conexões internas da economia mercantil estejam desenvolvidas no jogo entre a realidade e o pensamento.

CAPÍTULO I - MARCHAS E CONTRAMARCHAS

No livro *Homo Aequalis*, Louis Dumont aborda a fisiocracia de uma perspectiva semelhante: "Quesnay descreve a velha sociedade a partir de um novo ponto de vista: sua visão social e política é tradicional e no interior dessa visão ele instala um sistema econômico quase moderno (...). Devemos observar que Quesnay não parte do agente individual, nem argumenta do ponto de vista de causas e efeitos, mas parte de uma ordem teleológica que inclui a garantia da liberdade individual".

Nos séculos XVII e XVIII a liderança mercantil e manufatureira da Inglaterra promoveu, entre as violências da acumulação originária, a dissolução das relações feudais e criou as condições para o surgimento do liberalismo como doutrina moral e política. Nesse período, Londres acelerou sua escalada mercantilista, derrotando Amsterdã e Paris como centro comercial e financeiro. A supremacia britânica imposta ao mundo pelo pioneirismo e pelo monopólio da indústria tem origem na acumulação de riqueza promovida pelo Estado Mercantilista, apoiado na faina colonialista das exclusividades concedidas às Companhias de Comércio.

Eli Hecksher, no clássico *Mercantilism*, resume magistralmente a conformação do mercantilismo à inglesa. Hecksher afirma que a ingerência direta do Estado nas Companhias era quase imperceptível. "Muito mais importante era outra tendência: a de transferir às companhias as prerrogativas de poder próprias do Estado". As questões formuladas pela Economia Política Clássica estavam "embuçadas" na filosofia política e moral inglesa do século XVII e na "razão iluminista" escocesa do século XVIII. Suas elucubrações tentavam enfrentar os desafios impostos pelo nascimento da sociedade dos indivíduos que surgia nos interstícios do Estado Mercantilista, apoiado no jugo da servidão, nos privilégios da propriedade feudal e aristocrática, no monopólio do comércio e na apropriação da riqueza sob a forma de ouro e prata. Na Inglaterra, como já foi dito, os grupos monopolistas determinavam as políticas comerciais da Coroa. A expansão mercantil foi acompanhada da acumulação primitiva, a violenta transformação que criou o mercado de trabalho livre e a propriedade agrária.

As transformações sociais e políticas sacodem a Inglaterra. Em 1642 eclode a Guerra Civil, deflagrada pelos seguidores de Oliver

Cromwell contra os poderes da Coroa. O rei Carlos I é executado.

Em *Behemoth ou o Longo Parlamento*, Hobbes fala da guerra civil inglesa do século XVII, momento de anomia social, da guerra de todos contra todos e se refere ao estado de natureza como a ausência do Estado. Nesse momento de ausência, os indivíduos entregues à sua natureza se moviam entre os impulsos do desejo e do medo (*desire and fear*).

C.B. Macpherson ensina que Hobbes concebe a natureza do homem como "a natureza do homem civilizado que estava analisando desde o começo. Porque o método redutivo-compositivo que ele tanto admirava em Galileu e que adotou era reduzir a sociedade existente a seus elementos mais simples e então recompor esses elementos em um todo lógico. A redução, portanto, foi da sociedade existente aos indivíduos existentes, e destes, por sua vez, aos elementos primeiros do seu movimento".

O contrato social que dá origem ao Leviatã está contaminado pelos anseios do desejo e pelos temores da violência. O medo é o medo do outro. Hobbes nega o estado de natureza idílico como o concebeu Locke, o bom selvagem, tal como também o idealizou Rousseau. Os homens só convivem pacificamente na sociedade em que o Estado está consolidado, quando os egoísmos da sociedade civil já estão pacificados pelas leis soberanas.

Diz Hobbes: "Uma vez que a condição humana é a da guerra de uns contra os outros, cada qual governado por sua própria Razão, e não havendo algo que o homem possa lançar mão para ajudá-lo a preservar a própria vida contra os inimigos, todos têm direito a tudo, inclusive ao corpo alheio. Assim, perdurando esse direito de cada um sobre todas as coisas, não poderá haver segurança para ninguém (por mais forte e sábio que seja) de viver durante todo o tempo que a Natureza permitiu que vivesse. O esforço para obter a Paz, durante o tempo em que o homem tem esperança de alcançá-la, fazendo, para isso, uso de ajudas e vantagens da Guerra, é uma norma ou Regra geral da Razão. A primeira parte dessa Regra encerra a Lei Fundamental da Natureza, isto é, procurar a Paz e segui-la. A segunda, o sumo do Direito da Natureza, que é

CAPÍTULO I - MARCHAS E CONTRAMARCHAS

defendermo-nos por todos os meios possíveis. Da Lei Fundamental da Natureza, que ordena aos homens que procurem a Paz, deriva esta segunda Lei: o homem deve concordar com a renúncia de seus direitos a todas as coisas, contentando-se com a mesma Liberdade que permite aos demais, na medida em que considere a decisão necessária à manutenção da Paz em sua própria defesa".

Hobbes recusa a perenidade do contrato social, ou seja, admite que o poder soberano, uma vez estabelecido, estará sempre ameaçado pelos conflitos da sociedade civil. Uma visão pessimista, nascida dos conflitos que acompanharam a sociedade burguesa em formação: *"a própria Vida não é senão Movimento e nunca pode ser sem Desejo, nem sem Medo, nem tampouco sem sentido, cada homem precisa procurar êxito contínuo para obter aquelas coisas que de vez em quando deseja e desejará"*.

Locke imagina a sociedade dos indivíduos no seu estado de natureza conforme os cânones iluministas. Em contraposição à Hobbes, sua visão postulava uma ordem social ancorada nas inclinações benevolentes e naturais do indivíduo governadas pela razão. São essas forças *internas* que predispõe os homens ao contrato. A subordinação ao Estado nasce da vontade esclarecida dos indivíduos que racionalmente decidem ceder sua liberdade.

O calvinista Locke, assim como Hobbes, desafiou a visão da sociedade medieval hierárquica, orgânica e aristocrática amparada no direito divino. A ordem natural nos diz o contrário da ordem revelada: os homens são iguais e as relações entre eles e as coisas são relações de apropriação justificadas pela ação humana racional. Relação do homem com a natureza, o trabalho justifica o direito de se apropriar das coisas. Locke investe contra a propriedade nascida dos privilégios da aristocracia, a transmissão do direito de propriedade pelo nascimento. A propriedade é o fundamento da liberdade.

Na aurora do século XVIII, a *Fábula das Abelhas* de Bernard de Mandeville levou a extremos a moral individualista, racionalista e utilitarista. Vícios privados, virtudes públicas. Mandeville conta a história de uma colmeia próspera e progressista, ambiente em que prevaleciam os vícios egoístas de todos as habitantes, comportamento interceptado, em certo momento, pela nostalgia da moral cristã, a nostalgia da virtude. As abelhas resolveram retroceder, voltar à prática da virtude. A prosperidade se converteu na decadência.

Na *Teoria dos Sentimentos Morais* Adam Smith repeliu Mandeville e rejeitou a concepção hobbesiana da guerra de todos contra todos. No artigo *Is Adam Smith Heir of Bernard Mandeville?* Işıl Çeşmeli, professor da Universidade de Ancara, observa que Adam Smith designa como um "sistema licencioso" a tese de Mandeville e critica o argumento da paixão egoísta ou a vaidade e o desejo pelo aplauso como fundamentos das ações humanas. Smith sustenta que os sentimentos de honradez e de nobreza nada têm a ver com a vaidade.

Também na *Teoria dos Sentimentos Morais* Adam Smith se dispõe a refutar Hobbes e sua *"tão odiosa doutrina e provar que, anteriormente a qualquer lei ou instituição positiva, a mente estava dotada naturalmente da faculdade que permitia distinguir, em certas ações e afeições, as qualidades do certo, do louvável e do virtuoso, e, em outras, aquelas do errado, do condenável e do vicioso (...). É através da razão que descobrimos estas regras gerais de justiça que regulam nossas ações"*.

Adam Smith faz nascer do casulo moral e político do Iluminismo a crisálida da sociedade mercantil. É a troca de mercadorias que torna os indivíduos privados interdependentes, definindo a natureza da nova "sociabilidade". Na *Riqueza das Nações*, os indivíduos, produtores independentes de mercadorias, buscando o seu interesse, "constituem" a sociedade. Smith procede, na verdade, a uma "despolitização" das relações sociais, buscando afirmar a autonomia da sociedade econômica em relação ao Estado Absolutista e Mercantilista. O caráter natural e "espontâneo" do intercâmbio de mercadorias se revela na sabedoria providencial e impessoal da *Mão Invisível*, cujos movimentos, é bom insistir, são articulados pela negociação e pelo contrato.

A *Mão Invisível*, no entanto, hesitou em condenar os *Navigation Acts*, entendidos por Adam Smith como afirmação do poder nacional: "*talvez a mais sábia de todas as regulamentações comerciais da Inglaterra*". Em

CAPÍTULO I - MARCHAS E CONTRAMARCHAS

outra passagem ele argumenta: "*Se alguma manufatura particular é necessária para a defesa da sociedade, não é sempre prudente depender da oferta de nossos vizinhos*".

Hesitações à parte, a *Riqueza das Nações* empenha-se em argumentar contra as teorias econômicas do mercantilismo. Enquanto há uma dependência do "político", não é possível pensar a economia como um sistema governado por leis naturais. Essas leis naturais decorrem da "razão" dos indivíduos, razão que os predispõem às relações contratuais mediante a livre disposição vontade. A economia surge, portanto, com a pretensão de se constituir numa esfera privilegiada da convivência, em que a liberdade é uma imposição das leis que regem a natureza humana. Tais leis devem seguir o seu curso, desembaraçadas da interferência e do arbítrio da política. No momento em que desabrocha a Economia Política eram onipresentes os cânones da física newtoniana, paradigma científico que vai se manter incólume ao longo do processo de evolução desse campo do conhecimento, ou, como querem alguns, dessa ciência. Não por acaso, os economistas estão permanentemente perquirindo as *leis* da sociedade dos indivíduos envolvidos no intercâmbio generalizado de mercadorias. As leis que regem a natureza humana, tal como as leis naturais da física, levam sempre ao equilíbrio.

Natural e Racional são conceitos constitutivos do pensamento iluminista. O *trabalho* foi acolhido pela Economia Política Clássica como *substância* natural do valor. A divisão de trabalho exige que os produtores especializados só possam recompor suas cotas de consumo através do intercâmbio com o trabalho de outrem. Na *Riqueza das Nações* Smith diz: "*a riqueza de cada produtor compreende os bens que ele produz para outrem*". Smith introduz a ideia da benevolência auto interessada. O indivíduo livre exerce sua liberdade natural na teia de relações sociais estabelecidas.

Em nosso *O capital e suas metamorfoses* assim o dissemos: "O intercâmbio generalizado de mercadorias, ou seja, o mercado capitalista pressupõe a admissão pelos produtores individuais da ´igualdade´ de seus trabalhos concretos. O intercâmbio generalizado é possível porque o trabalho de um produtor de mercadorias é entendido pelo outro como equivalente. *Entendido* quer dizer *imposto* pelo movimento de totalização das relações sociais executado pelas forças impessoais do mercado".

O suposto da igualdade entre os produtores livres é fundamental para a construção do mercado como ambiente em que se realiza a justiça comutativa, *do ut des*. Essa condição de igualdade entre os produtores é também uma rejeição da apropriação do valor criado pela força e pelo privilégio, tal como ocorria no *Ancien Régime* dos mercantilismos.

No *Nascimento da Biopolítica* Michel Foucault vai abordar o surgimento do liberalismo a partir do conceito de *governamentalidade*.

Vou utilizar o texto de Foucault de forma livre, com poucas aspas.

Para ele, o mercantilismo não é uma doutrina econômica. É uma organização da produção e dos circuitos comerciais de acordo com o princípio de que, primeiro, o Estado deve se enriquecer pela acumulação monetária; segundo, deve se fortalecer pelo crescimento da população; terceiro, deve estar e se manter em um estado de concorrência permanente com as potências estrangeiras. Diz Foucault: "O mercado, no sentido bastante geral da palavra, tal como funcionou na Idade Média, no século XVI, no século XVII, creio que poderíamos dizer, numa palavra, que era essencialmente um lugar de justiça. Primeiro, claro, era um lugar dotado de uma regulamentação extremamente prolífica e estrita: regulamentação quanto aos objetos a levar aos mercados, quanto ao tipo de fabricação desses objetos, quanto à origem desses produtos, quanto aos direitos a serem pagos, quanto aos próprios procedimentos de venda, quanto aos preços estabelecidos, claro. Logo, lugar dotado de regulamentação – isso era o mercado".

O mercado era também concebido como um lugar de justiça: o preço de venda estabelecido no mercado era considerado um preço que deveria ser o justo preço, isto é, um preço que devia manter certa relação com o trabalho feito, com as necessidades dos comerciantes e, é claro, com as necessidades e as possibilidades dos consumidores. Esse mercado era um lugar de justiça distributiva. A regulamentação de mercado tinha por objetivo, de um lado, a distribuição tão justa quanto possível das mercadorias, e também o não-roubo, o não-delito. O mercado era percebido naquela época como um risco incorrido pelo comerciante, de um lado, e o comprador, de outro.

CAPÍTULO I - MARCHAS E CONTRAMARCHAS

Afirma Foucault que "em meados do século XVIII, o mercado surge como já não sendo ou não devendo mais ser um lugar de jurisdição. O mercado apareceu como espaço que obedecia e devia obedecer a mecanismos ´naturais´, isto é, mecanismos espontâneos, ainda que não seja possível apreendê-los em sua complexidade, mas espontâneos, tão espontâneos que quem tentasse modificá-los só conseguiria alterá-los e desnaturá-los. O mercado se torna um lugar de verdade".

O mercado, quando deixado à sua natureza, com a sua verdade natural, digamos assim, permite que se forme certo preço que será metaforicamente chamado de preço verdadeiro, que às vezes será também chamado de justo preço, mas já não traz consigo, em absoluto, essas conotações de justiça. Será um certo preço que vai oscilar em torno do valor do produto. A teoria econômica indica uma coisa que agora vai ser fundamental: o mercado deve ser revelador de algo que é como uma verdade. Mas o que se descobre nesse momento, ao mesmo tempo na prática governamental e na reflexão dessa prática governamental, é que os preços, na medida em que são conformes aos mecanismos naturais do mercado, vão constituir um padrão de verdade que vai possibilitar discernir nas práticas governamentais as que são corretas e as que são erradas. Na medida em que, através da troca, o mercado permite ligar a produção, a necessidade, a oferta, a demanda, o valor, o preço etc., ele constitui nesse sentido um lugar de verificabilidade/falsificabilidade para a prática governamental".

Na perspectiva da *governamentalidade liberal*, diz Foucault, o mercado vai fazer um bom governo, ainda que não seja um governo que funciona com base na justiça, mas um governo que funcione com base na verdade. A economia política foi importante na medida em que indicou onde o governo devia ir buscar o princípio de verdade da sua própria prática governamental. O mercado deve dizer a verdade, deve dizer a verdade em relação à prática governamental. O mercado vai prescrever os mecanismos jurisdicionais ou a ausência de mecanismos jurisdicionais sobre os quais deverá se articular. "O mercado, objeto há muitíssimo tempo privilegiado pela prática governamental e objeto mais privilegiado ainda nos séculos XVI e XVII, sob o regime de uma *razão de Estado* e de um mercantilismo que fazia do comércio um dos principais instrumentos da força do Estado, tinha se tornado, agora, um lugar de veridição. Essa é história do mercado jurisdicional, depois veridicional, um desses incontáveis cruzamentos entre jurisdição e veridição que é sem dúvida um dos fenômenos fundamentais na história do Ocidente moderno".

Adam Smith procurou mostrar como o autointeresse decorria de uma avaliação introspectiva da *natureza humana* e de seus impulsos. E só podia ser assim, pois na esteira do empirismo de Locke a única forma de conhecimento disponível para o indivíduo livre é a experiência. A experiência não é somente a observação do mundo exterior, mas a crítica interna dos sentimentos realizada mediante a introspecção, tal como estava em David Hume. A introspecção permite a percepção a respeito da realização "social" do impulso fundamental de satisfazer seus próprios desejos.

No livro *As paixões e os interesses*, Albert Hirschman discorre a respeito da contraposição entre as paixões nefastas e viciosas do *Ancien Régime* e os interesses virtuosos mediados pelas trocas da sociedade mercantil. As paixões eram necessariamente violentas, pois realizavam seus propósitos diretamente no corpo e no espírito do semelhante. Entre esses desatinos estavam os prazeres da luxúria, o ódio descarregado sobre o corpo do outro, a paixão patriótica que levava à guerra. Os desejos exercidos no mercado eram paixões calmas. No ensaio *On Interest,* David Hume escreveu: "*Uma consequência infalível de todas as profissões industriosas é fazer o amor do ganho prevalecer sobre o amor do prazer*". Esse impulso virtuoso só pode se realizar mediante a relação contratual. A livre disposição da vontade encontra sua forma social e moral adequada no contrato. Não há um conjunto de preceitos morais externos, heterônomos, tal como na Ordem Revelada.

Nos tempos de Adam Smith e dos primeiros movimentos da Revolução Industrial, entre o final do século XVIII e o início do XIX, Jeremy Bentham e seu discípulo James Mill, devotos da filosofia social e da moral utilitarista, postulavam o princípio do prazer e a fuga da dor. A Filosofia Radical entendia o metabolismo da nova sociedade mercantil-capitalista como o encontro do desejo com a sua satisfação, a realização

CAPÍTULO I - MARCHAS E CONTRAMARCHAS

da felicidade geral. A sociedade dos indivíduos utilitaristas estaria destinada a realizar o princípio "quanto mais, melhor, para o maior número".

Nos primórdios da era da maquinaria e da jornada de trabalho de quatorze horas diárias de trabalho, o utilitarismo se ocupa em dissolver as relações de classe do capitalismo nos reagentes da escolha racional dos indivíduos. O indivíduo pode escolher entre o trabalho e o ócio, entre a esmola para um pedinte pobre ou uma taça de vinho para seu deleite. No capítulo III do livro *The Principles of Morals and Legislation,* Bentham se empenha em demonstrar que "a felicidade dos indivíduos, dos quais é composta a comunidade, seus prazeres e segurança são as finalidades e as únicas finalidades que o legislador deve ter em mente". A sociedade é definida como a "a soma de interesses dos diversos membros que a compõem".

Jeremy Bentham estende ao limite o projeto Iluminista, em sua faina de desvencilhar o homem ocidental do Império da Crença para entregá-lo ao Reino do Cálculo. Desde então, os homens rasgaram a cortina da Ordem Revelada que os enclausurava nas crenças e impuseram o cálculo como único paradigma de avaliação e julgamento. O espírito do capitalismo cedeu à tentação de dissolver o mundo da crença nos reagentes do cálculo racional. O *homo oeconomicus* busca maximizar sua utilidade ou os seus ganhos, diante das restrições impostas pela escassez de recursos que lhe são impostas pela natureza ou pelo estado da técnica.

Jean-Baptiste Say e Nassau Senior atacam a teoria do valor-trabalho de Adam Smith e David Ricardo. A ideia do trabalho como substância do valor tornou-se perigosa, porquanto foi apropriada pelos chamados socialistas ricardianos. John Gray, Thomas Hodgskin, William Thompson consideravam o capitalismo injusto e imoral e defendiam o direito a apropriação pelos trabalhadores da integridade do valor gerado.

O socialismo de John Gray pretendia medir o valor das mercadorias diretamente pelo tempo de trabalho gasto em sua produção mediante a emissão do *dinheiro-trabalho*. Esse "dinheiro" emitido por uma autoridade central recompensaria cada trabalhador individual conforme sua contribuição à formação da totalidade do valor gerado pela sociedade.

No capítulo *Sobre a Maquinaria* dos *Principles of Political Economy and Taxation*, Davi Ricardo, ao explanar a lei de ferro dos salários, deixa transparecer os embaraços do naturalismo da economia clássica, agora perturbada pelos artificialismos das engrenagens do vapor e do ferro na produção.

A introdução de "máquinas" para poupar mão de obra é imposta aos capitalistas como uma necessidade incontornável, diante da queda das margens de lucro. Isso ocorre não por força da ação dos trabalhadores, mas sim pela elevação da renda da terra.

A hipótese da renda diferencial ricardiana reza que os proprietários das terras mais férteis se apropriam da margem mais elevada do *produto líquido*, valendo-se da imperiosa ocupação de terras de qualidade inferior, ao longo do processo de acumulação.

O importante, na visão ricardiana, é que a acumulação de capital com a introdução de máquinas eleva o produto líquido – o excedente – e reduz o produto bruto que inclui os salários dos trabalhadores deslocados pelo capital fixo.

A introdução de máquinas poupa trabalho, isto é, capital variável medido em termos de trigo (fundo de salários) e aumenta a proporção de capital fixo. O aumento do capital fixo promove a redução dos preços do trigo e propicia a reabsorção da mão de obra deslocada em atividades "domésticas". Os salários permanecem no nível de subsistência, pressionados por três forças: 1) a utilização crescente das máquinas no processo de produção; 2) a apropriação dos incrementos de produto líquido pelos proprietários das terras mais férteis; 3) a lei malthusiana da população.

A lei da população definia a maldição que os trabalhadores lançavam sobre seus próprios destinos. Quando o salário se estabelecia em um nível superior àquele fixado por suas necessidades básicas (preço natural), os trabalhadores incontinentes se entregavam à luxúria e se reproduziam como coelhos, ao dispor de meios para sustentar uma família mais numerosa. Aumenta, assim, a oferta de trabalhadores, o que comprime o nível de salários, que volta a ser fixado em torno da subsistência, o preço *natural* do trabalho.

CAPÍTULO I - MARCHAS E CONTRAMARCHAS

Os espectros da escassez e da incontinência assombram o capitalismo de David Ricardo. A escassez beneficia os senhores das terras mais férteis que, sem esforço, apropriam-se da renda diferencial. A incontinência lúbrica aprisiona os trabalhadores no salário de subsistência.

Na teoria ricardiana do comércio internacional, as relações de troca se estabeleceriam entre os países conforme a eficiência relativa de fatores. Os países se especializam na venda de produtos de menor custo relativo, conforme suas *dotações naturais*. As economias nacionais devem se especializar naquilo que fazem melhor, não em comparação com o fazem outras economias, mas sim em relação a outras atividades "internas".

O comércio internacional especializa os países conforme a utilização racional de seus fatores naturais. Assim, o intercâmbio internacional de mercadorias se faz com a máxima eficiência possível.

Em 1815, as forças conservadoras europeias cuidam de apagar os rastros republicanos deixados pelo exército de Napoleão. O Congresso de Viena ocupa-se da Restauração Monárquica na Europa. Nesse momento, a Inglaterra liderava as transformações econômicas da Revolução Industrial. A despeito dos avanços da indústria, a classe dirigente inglesa era aristocrática. O parlamento inglês era formado por proprietários fundiários, eleitos pelo voto de seus iguais no exercício do monopólio liberal do direito à escolha política. Mais que as manufaturas, os bancos e os negócios do dinheiro se empenhavam em impor a soberania monetária da libra sobre o comércio e as finanças internacionais. Como veremos mais adiante, as propostas de Ricardo sobre o sistema monetário capitaneado pelo Banco da Inglaterra visavam estabelecer um padrão de referência universal. A adoção do padrão-ouro impôs a supremacia das finanças inglesas.

O celebrado liberalismo da Inglaterra exige reparos. Ainda na primeira metade do século XIX, o liberal-mercantilismo da pérfida Albion manteve até 1841 a proibição de exportar máquinas e artesãos e, só nos idos de 1846, foi revogada a proteção das *Corn Laws* à sua agricultura. A partir de então, a Inglaterra comandou a expansão do comércio e das finanças internacionais. Dominado pelos interesses financeiros da City, o liberal-mercantilismo da Inglaterra hegemônica comanda o movimento de capitais entre os países europeus e centraliza em Londres as operações financeiras das colônias e dos países periféricos. Ao mesmo tempo, o expansionismo financeiro-comercial industrial suscita as políticas protecionistas de industrialização dos retardatários europeus e dos Estados Unidos.

1.1 A REVOLUÇÃO MARGINALISTA E A REVOLTA DOS HISTORICISTAS

Na segunda metade do século XIX, enquanto na Inglaterra a corrente anti-ricardiana radicaliza o utilitarismo individualista, no continente europeu a Escola Histórica alemã ataca os fundamentos individualistas e racionalistas da Economia Clássica.

A reação anti-ricardiana de Nassau Senior, Jean Baptiste Say e Bastiat inicia sua ofensiva em meados do século XIX. Senior introduz ainda de forma bastante embrionária a hipótese da utilidade marginal decrescente e anuncia o princípio da relação entre produtividade marginal e remuneração dos fatores de produção. Os valores das mercadorias seriam determinados pela oferta e demanda, ou seja, pela relação entre utilidade dos bens e custos de produção.

A teoria da abstinência de Senior justifica a apropriação do lucro como recompensa ao sacrifício do indivíduo que se abstém do consumo. Senior desloca a questão do enriquecimento e da produção para o âmbito subjetivo. O valor dos bens decorre da sua utilidade e a acumulação do capital é fruto da poupança.

Aqui está formulada a justificativa do enriquecimento pelo mérito. Os indivíduos fracassam porque sucumbem à prodigalidade consumista atribuída aos valores aristocráticos. A virtude está associada à escolha do indivíduo racional e utilitarista, em contraposição ao desperdício e ao mau uso dos recursos escassos. Nas *Harmonias Econômicas*, Bastiat disparou contra as classes subalternas: "As classes deserdadas obtiveram seus direitos políticos e a primeira ideia que abraçaram não foi a abolição da pilhagem (isso iria supor mais sabedoria do que eles

CAPÍTULO I - MARCHAS E CONTRAMARCHAS

podem ter), mas organizar um sistema de investidas contra as outras classes, o que também os prejudica; isto porque antes que a justiça impere, uma dura retaliação pode afetar a todos, uns por conta de sua iniquidade, outros em razão de sua ignorância".

A frugalidade capitalista não se opõe apenas à indisciplina dos pobres, mas também é contrastada à prodigalidade da aristocracia opulenta e predadora que acumula seus cabedais sob a Velha Ordem do privilégio e das paixões violentas.

A escolha utilitária do consumo futuro, a poupança que financia o investimento é também um gesto de promoção do progresso e do interesse geral. A teoria da abstinência fundada na utilidade dá um golpe de morte na teoria ricardiana da apropriação do lucro como trabalho excedente. Da distribuição do valor entre as classes sociais, a investigação se desloca para as relações entre os indivíduos e os bens que satisfazem sua escala de utilidades.

A chamada Revolução Marginalista irrompe no final do século XIX para reafirmar e levar à exasperação os métodos e tendências dos epígonos da Economia Política Clássica. Walras publica o primeiro volume dos *Eléments de Economie Pure em* 1874, o segundo em 1877. Stanley Jevons publica em 1871 *The Theory of Political Economy*.

A exacerbação do paradigma utilitarista ocorre em um momento de mudanças profundas na Ordem Capitalista. Entre 1873 a 1890, a economia global de então enfrenta um período de prolongada queda dos preços e uma sucessão de crises financeiras. A "Grande Depressão" do final do século XIX foi ao mesmo tempo um período de grandes transformações estruturais. Tais transformações foram provocadas por um bloco de inovações na indústria, nos transportes e nas comunicações, inovações que suscitaram processos de reorganização da grande empresa capitalista. Esse momento de grandes transformações econômicas e sociais se desenvolve no rastro das revoltas de 1848 e dos tumultos da Comuna de Paris de 1871.

Stanley Jevons pretende afastar a economia política das "ameaças" da política, sobretudo da influência das massas trabalhadoras, já concentradas nas fábricas e abrigadas nas "cidades industriais". Tratava-se de transformar a economia em uma disciplina respeitável, científica, conforme os cânones da física newtoniana.

A Economia Política de Jevons concentra suas investigações nas escolhas individuais de consumidores e produtores utilitaristas que definem a alocação de recursos *dados* e *escassos* entre usos alternativos. No capitulo II, *Utility*, do livro *Political Economy*, Jevons expõe de forma clara os caminhos que o levam ao princípio da utilidade marginal decrescente. "Ninguém gosta que seu jantar ofereça apenas batatas, ou apenas pão, ou mesmo, somente bife". Nesse caso, como em outros, aprendemos que os desejos humanos tendem à variedade; cada desejo separado é logo satisfeito completamente (do Latim *satis*, bastante e *facere*, fazer) e, logo, outro desejo começa a ser sentido. Isso foi chamado por Senior de *lei da variedade,* a mais importante lei da economia política".

Em seguida, Jevons descreve os comportamentos que se orientam pela *lei da sucessão dos desejos,* "algo na seguinte ordem: ar, comida, vestuário, moradia, literatura, artigos de luxo e lazer". A noção de *riqueza* de Jevons pode ser sintetizada na afirmação "água, por exemplo, só é útil quando é realmente usada". A frase diz muito mais que sua obviedade aparente. Jevons está ancorando a economia na avaliação subjetiva do indivíduo racional. "A água é útil quando e onde nós a desejamos, na quantidade em que a desejamos e não de outra forma".

A *escassez* é condição não menos importante para a avaliação subjetiva que converte os bens da vida em *riqueza* e lhes confere *valor*. Os objetos do desejo devem ter *oferta limitada*. "Assim cada mercadoria deve ser ofertada quando é mais desejada: nada deve ser ofertado em demasia, isto é, fabricada em quantidades excessivas, de modo que seria melhor empregar trabalho na manufatura de outras coisas (...). O propósito é obter a maior riqueza com o menor custo".

Descendente de Nassau Senior, Jevons faz a defesa da poupança contra os "maus argumentos falaciosos" da gastança consumista. "Os proprietários da riqueza não podem fomentar o emprego de trabalhadores de qualquer forma. Se ele poupa o seu dinheiro e coloca no banco, o banqueiro não vai deixar o dinheiro ocioso. Vai emprestar para outros

CAPÍTULO I - MARCHAS E CONTRAMARCHAS

comerciantes, industriais e construtores, que vão usá-lo para ampliar seus negócios e contratar mais trabalhadores". A falácia do não-consumo também pode ser danosa, porquanto bloqueia a fruição utilitarista, fomentando o sobre-investimento: "se os ricos aplicam suas poupanças para comprar ações das ferrovias, teremos tantas ferrovias que não vão ser utilizadas".

A produção envolve a combinação entre terra, trabalho e capital. Jevons apresenta a terra, o agente natural, e o trabalho como os requisitos primários. O capital é o requisito secundário. A substituibilidade entre os bens e a substituibilidade entre fatores de produção criam as condições para a escolha individual. Isto posto, a produtividade depende de duas condições: da Ciência e da Divisão do Trabalho. "A Ciência nos habilita a fazer nossas tarefas com grande economia de trabalho (...). A divisão do trabalho promove a invenção de um grande número de máquinas que facilitam e encurtam o trabalho e permitem que um homem faça as tarefas de muitos".

Na teoria do Equilíbrio Geral de Walras, a relação entre os indivíduos, consumidores ou proprietários privados de riqueza é entendida a partir dos *interesses* conciliados pela ação racional-calculadora dos indivíduos coordenadas pelas virtudes do mercado competitivo. A socialização dos indivíduos privados está ancorada na racionalidade otimizadora que ajusta os desejos aos bens escassos.

Pierre Dockès revela que "Leon Walras constrói sua economia pura a partir de uma interrogação normativa (os melhores preços) e chega à demonstração da coincidência do equilíbrio da livre concorrência com a melhor realização dos interesses". Dockès argumenta que na troca walrasiana prevalece a justiça comutativa, o princípio da atribuição a cada um dos protagonistas o que lhe é devido. Nenhum dos participantes vai receber nada da além daquilo que corresponde a seu mérito.

Em *L'Economie Politique et La Justice*, Walras defende a justiça dos mercados: "Na presença das lamentações da sociedade, o economista deve se manter calmo, calar suas emoções em benefício do sucesso de seus estudos. Enfim, abandonar o campo da realidade impressionante para se elevar ao domínio da fria abstração que é também o (espaço) da ciência". Walras disse a seu pai que era preciso libertar a economia dos enganos da história.

Em sua caminhada para os *Elementos de Economia Pura*, Walras acentua seu convencimento a respeito da economia como uma ordem racional e natural. O racionalismo de Walras está comprometido com as categorias *a priori* de Kant na *Crítica da Razão Pura*. A ordem natural só está disponível para ser apreendida pelas categorias do entendimento. Por isso, a matemática era o único instrumento capaz de demonstrar logicamente a validade da teoria da sociedade dos indivíduos utilitaristas que exercem a livre disposição da vontade no intercâmbio entre mercadorias equivalentes, a partir de uma determinada distribuição de recursos. A troca é justa se não altera a situação inicial dos participantes do jogo do mercado. O homem vale o que o seu esforço vale e o seu esforço vale se a mercadoria que ele produz for reconhecida pela escala de preferências dos demais.

A ambição de Walras era apresentar a concorrência perfeita como o processo natural capaz de coordenar os interesses individuais para produzir o melhor resultado "coletivo" possível. O princípio da utilidade marginal decrescente vinha associado à *escassez* como fundamento do valor. Assim, foi possível estender o cálculo da utilidade marginal para os demais *fatores de produção*. Trabalho, capital e terra são combinados em proporções fixas em cada estado de equilíbrio, com retornos constantes de escala. As proporções podem se alterar na passagem de um estado de equilíbrio para o seguinte. Cada estado de equilíbrio apresenta condições iniciais diferentes do anterior. A sequência de equilíbrios temporários não são coordenadas ao longo do tempo. A análise walrasiana não contempla um equilíbrio geral entre os períodos.

O *leiloeiro* comanda um processo de negociações e renegociações entre agentes para ajustar os "excessos" de oferta ou demanda e atingir os preços de equilíbrio, mediante o teorema do ponto fixo. Na economia descentralizada dos indivíduos racionais, o estado de equilíbrio de preços e quantidades só é alcançado mediante a ação do leiloeiro-planejador. Não por acaso, a exposição avança nas Partes V e VI do livro para incluir o dinheiro como simples *numeraire,* unidade de conta. O dinheiro só vale como medição das trocas já realizadas.

CAPÍTULO I - MARCHAS E CONTRAMARCHAS

1.2 A REBELIÃO HISTORICISTA

Ensina o historiador Marten Seppel no livro *Cameralism in Practice* que na segunda metade do século XVII, os principados e eleitorados alemães foram constrangidos a buscar soluções para as finanças dos Estados que nasciam das conturbações militares e das novas atividades impostas ao Estado Moderno em formação. O Cameralismo surge como uma forma de enfrentar não só os problemas do financiamento desses Estados cada vez mais envolvidos com a ampliação das forças militares e da burocracia civil, mas também comprometidos com o bem-estar da população de seu território. Os cameralistas supunham que a felicidade dos habitantes era um dever do Estado.

Enquanto os escritores mercantilistas tratavam do comércio internacional como fonte de acumulação de riqueza, os cameralistas se ocupavam da organização da produção doméstica – a riqueza acumulada com os próprios recursos. Por isso estavam interessados em todas as esferas da economia e da sociedade, com pouco interesse no comércio internacional.

O Cameralismo como doutrina surge como reação dos espaços político-jurídicos confinados em seus territórios contra as ameaças instabilizadoras da expansão mercantilista e seus Estados dominadores dos mares e do comércio ultramarino.

Essa reação alcançou sua formulação mais extremada em 1800. Ainda sob o império napoleônico, o filósofo prussiano de Rammenau, Johann Gottlieb Fichte escreveu *O Estado Comercial Fechado*. "Só o Estado consegue unir uma multidão indeterminada em uma totalidade fechada: só ele pode investigar os que pertencem à sua aliança e, portanto, só o Estado pode garantir as bases do direito de propriedade". A organização econômica proposta por Fichte tem uma nítida inclinação romântica, antiliberal e fisiocrática. Ele divide os participantes da atividade econômica em dois grandes grupos: os *produtores* que cultivam a natureza e os *artesãos* que processam os materiais oferecidos pelos *produtores*. Esse comércio é legítimo porque atende às necessidades básicas da sociedade.

Os produtores são obrigados a não só cultivar os produtos necessários para sua subsistência, como também gerar um excedente para os artesãos. Estão obrigados a abastecer os artesãos da matéria prima necessária para o trabalho de manufatura. Os produtores devem trocar o que produzem com os artesãos que, em contrapartida, devem oferecer as manufaturas para os produtores.

Fichte propõe um sistema de regulação da produção pelo Estado. Esse sistema deveria estabilizar a flutuações preços e quantidades, mediante a entrega de excedentes para o Estado quando a produção excedesse as necessidades correntes de produtores e artesãos. Os excedentes funcionariam como "estoques reguladores nos momentos de queda da produção".

Com essas medidas uma situação de escassez não pode se perpetuar. O Estado tem obrigação de transferir rapidamente "os braços de uma atividade para outra", para preservar o bem-estar da nação. A economia nacional advogada por Fichte é autárquica e planejada: só o Estado dispõe da racionalidade exigida para administrar o *Todo*. A Nação, a totalidade, não pode ser submetida às incertezas das decisões individuais conflitantes.

Encerrado o Bloqueio Continental, imposto por Napoleão Bonaparte, a Inglaterra voltou a exercer suas prerrogativas de economia hegemônica. Nesse momento, o alemão Frederick List vivia nos Estados Unidos e observava o desenvolvimento norte-americano, que progredia à sombra do protecionismo de Alexander Hamilton e se contorcia entre os impulsos e constrangimentos do expansionismo da Inglaterra.

Em 1841, List publicou o livro *Sistema Nacional de Economia Política*. No Prefácio, List expõe as lições que colheu nos Estados Unidos: "A melhor obra sobre Economia Política que se possa ler naquele país moderno é a vida real (...). O resultado foi, como espero, a proposta de um sistema, defeituoso e incompleto, que, no entanto, não está fundado em um cosmopolitismo incompreensível, mas na natureza das coisas, nas lições da História e nas exigências das nações". No livro, com rica argumentação histórica, Frederick List defendeu a ideia de indústria nascente, capturada nas páginas do *Relatório sobre as Manufaturas* de Alexander Hamilton. As relações entre política e economia permitiram a Frederich List escapar das abstrações da economia política clássica e concentrar sua investigação na Economia Nacional.

CAPÍTULO I - MARCHAS E CONTRAMARCHAS

List é um precursor. Na segunda metade do século XIX, a Escola Histórica Alemã encontrou um ambiente propício à reação contra a Economia Política Clássica e à hegemonia inglesa. Deita raízes no Romantismo alemão do final do século XVIII que respondeu às consignas do Iluminismo e da Revolução Francesa, com suspeitas apontadas contra o individualismo moral e o liberalismo econômico.

Na *História da Análise Econômica*, Joseph Schumpeter divide a Escola Histórica em três gerações: a mais velha (Wilhelm Roscher, Karl Knies, Bruno Hildebrand); a nova (Gustav von Schmoller, Lujo Brentano, Karl Bücher, Friedrich Knapp, Adolph Wagner); e a mais nova (Arthur Spiethoff, Werner Sombart, Max Weber).

A desconfiança dos historicistas de todas as gerações foi instaurada contra a visão abstrata do indivíduo, do sujeito que se relaciona com a "objetividade" de uma forma manipuladora. É uma recusa de aceitar a "realidade exterior" como um objeto submetido às ações operatórias do sujeito que conhece.

Na Introdução da *Ciência da Lógica*, Hegel faz a crítica da Filosofia Crítica. Para ele, Immanuel Kant "reconheceu o vazio da 'coisa-em-si', essa sombra abstrata divorciada de todo o conteúdo. Essa filosofia começou com a Razão exibindo suas próprias determinações. Em seu presente estado, essa ciência não tem qualquer conteúdo que a consciência ordinária considere como a realidade e como um genuíno objeto. Mas não é por essa razão que a ciência formal é despojada de verdadeiro significado. Quando essas formas são tomadas como determinações fixas e consequentemente em sua separação uma da outra, e não como uma unidade orgânica, elas são formas mortas e o espírito que anima sua vida, a unidade concreta não reside nelas (...). O conteúdo das formas lógicas nada mais é senão o fundamento sólido e concreto dessas determinações abstratas; e o ser substancial dessas abstrações é usualmente buscado fora delas".

Hegel se situou na confluência dos dois movimentos: a reação romântica ao pensamento liberal individualista e a reafirmação da Razão, como forma de desvendamento de todas as ilusões que por séculos mantiveram os homens submetidos a uma ordem que não podiam questionar. Na *Ontologia do Ser Social,* György Lukács reconhece que a reação romântica pretendia negar qualquer relevância ontológica à razão. Ao substituir a Razão pelos sentimentos, os Românticos repudiavam o estado de coisas que prevalecia no mundo de então, eivado de contradições. Buscavam um retorno ao passado, supostamente uma era de harmonia, não-contraditória. A posição especial de Hegel entre os dois extremos pretendia demonstrar a presença da Razão na situação existente, o que confirmava a *contradição* como categoria central de seu pensamento.

Nos escritos que antecederam a *Fenomenologia do Espírito,* Hegel deplorava a falsa universalidade da economia política, baseada nos procedimentos formais das categorias *a priori* do entendimento. "As necessidades e o trabalho, elevados à universalidade, formam um sistema de comunidade e de mútua interdependência em grande escala; a vida nesse corpo morto, que move a si mesmo, no qual os fluxos e refluxos se movem cegamente, como elementos da natureza, exigem, como as bestas selvagens, contínua estrita vigilância e domesticação".

A Escola Histórica pretendia infundir vida ao corpo morto. Nos *Principles of Political Economy*, um dos pioneiros da Escola Histórica, Willem Roscher escreveu que as investigações das motivações políticas só podem ser realizadas a partir de comparações entre todas as civilizações conhecidas. As leis de desenvolvimento (gerais) só podem ser formuladas após comparações com as experiências históricas dos diversos povos. Roscher investe contra o método dedutivo-abstrato e reivindica a validade científica da indução histórica.

Foi grande a influência do romantismo alemão nas críticas de Gustav Schmoller à Economia Política Clássica. "As análises econômicas sofrem de grandes enganos, ao deduzir certas situações de uma série de primeiras causas. Elas ignoram ou desprezam toda a estrutura intermediária (...). Insistem em deduzir de premissas técnicas ou naturais, o que está além da técnica; afirmam que a partir de certos fatos técnicos segue-se necessariamente uma ordem da vida, enquanto a história mostra que essa ordem pode ser diferente. Eles avaliam mal a natureza da moral e da lei, o poder das emoções e das ideias culturais que governam toda a economia".

CAPÍTULO I - MARCHAS E CONTRAMARCHAS

No crepúsculo do século XIX, os neokantianos se movimentam para retomar o embate entre a Razão e a História, ou como querem alguns, os desencontros entre a trajetória dos homens em suas sociedades e as leis que regem a natureza. Charles Banbach estuda a crise do historicismo nos escritos de Windelbant, Rickert e Dilthey. Na virada do século, esses filósofos adotaram uma perspectiva kantiana para considerar a classificação do conhecimento entre as ciências naturais e as humanas, bem como avaliar os critérios dos julgamentos históricos. Eles buscaram se afastar dos primeiros historicistas e estabelecer novas bases metafísicas e epistemológicas para o historicismo.

Para Dilthey o conhecimento histórico está enraizado na experiência vivida, não no método científico. Qualquer tentativa de expurgar a história de seus horizontes, limites e concepções subverteria as bases do entendimento. Mas, ao reinstaurar a imposição da dicotomia cartesiana sujeito-objeto, Dilthey reforçou a aporia da tradição historicista – a afirmação simultânea da *objetividade* da Ciência e da *subjetividade* da Visão do Mundo.

Já no século XX, no prefácio de *Economia e Sociedade*, Max Weber investe contra o método científico que considera desviantes os comportamentos que escapam aos critérios "racionais" do ajuste entre meios e fins. A inconveniência da racionalidade instrumental e abstrata é apresentada mediante a crítica das explicações habituais do racionalismo rasteiro para os fenômenos econômicos e, portanto, sociais. Weber exemplifica: "Um pânico na bolsa de valores estabelece, em primeiro lugar, como se desenvolveria a ação desprovida de afetos irracionais e depois introduz como 'perturbações' os componentes irracionais".

Para Max Weber, a crescente racionalização não significa a ampliação do conhecimento das condições nas quais vivemos. "Significa algo mais. Significa que *queremos* ou *acreditamos* ter a capacidade de aprender a qualquer tempo, que não existem forças incontroláveis ou misteriosas, que tudo pode ser controlado pelo cálculo".

No mundo anglo-saxão, a Rebelião dos Historicistas influenciou os institucionalistas americanos John Commons e Thornstein Veblen.

Ben Seligman, em seu monumental livro *Main Currents in Modern Economic Thought,* reconstrói as trajetórias de Commons e Veblen. Nas páginas de *Institutional Economics,* Commons desenvolve os conceitos de transação e de acordos sobre o futuro. Para tanto, a sociedade capitalista constrói espaços de ação coletiva, a busca de regras aceitáveis para o encaminhamento dos acordos.

Commons estabelece uma contradição entre os princípios da indústria e a regras que guiam os negócios. Os negócios são os negócios do dinheiro e das finanças. Há diferença entre a propriedade de um bem físico e os direitos sobre um valor monetário. As duas formas revelam características opostas ao direito de propriedade. No caso dos bens físicos, há transferência concreta da propriedade. No caso dos valores financeiros, o intercâmbio não exige a transferência efetiva do bem, mas da propriedade incorpórea, dos direitos representados pelas dívidas monetárias.

Quando os mercados assumem a hegemonia econômica, começam a surgir os mercados especulativos e as formas monopolistas de propriedade na indústria e nas finanças.

Em 1927, John Maynard Keynes escreveu uma carta para Commons: "Parece não haver outro economista com o qual eu esteja em acordo mais genuíno".

Capítulo II
ENTRE A LÓGICA E O TEMPO

Nos anos 50 do século XX, Kenneth Arrow e Gerard Debreu se dispuseram a avançar nos estudos do modelo axiomático, lógico-dedutivo comprometido com as condições de equilíbrio perquiridas por Walras. Nesse modelo são protagonistas *n* indivíduos como consumidores, *n* indivíduos como produtores, um determinado estado da técnica e um estado de natureza. O estado de natureza diz respeito à escala de preferências e dos consumidores.

Debreu e Arrow procuram superar as limitações do modelo de Equilíbrio Geral de Walras, particularmente a dificuldade de enfrentar a passagem de um estado de equilíbrio a outro. Trata-se de definir as condições do equilíbrio intertemporal, diante das alterações nas preferências dos consumidores e nas escolhas dos produtores afetados pelas mudanças nas técnicas. No modelo de Walras o equilíbrio entre os protagonistas do processo de intercâmbio de mercadorias poderia ser definido para *cada estado de natureza*. Mas não era possível enfrentar a questão das decisões de produtores e consumidores entre dois momentos do tempo, entre presente e futuro, de maneira adequada. A solução encontrada foi incluir no modelo de mercados futuros datas e contingências finitas. Ou seja, a definição das preferências dos consumidores deve contemplar não apenas suas preferências em relação ao consumo presente, mas sobretudo o plano de preferências dos consumidores ao longo do tempo, o que inclui o consumo em datas futuras e em outros locais. Por exemplo, hipoteticamente, esse plano de preferências formulado pelos consumidores tem que incluir uma aquisição da casa própria daqui há seis anos. A consistência do modelo, ou seja, a incorporação correta do plano dos consumidores exige a inclusão de todas as datas ou localidades que os consumidores devem considerar em sua escolha racional.

"O modelo de uma economia competitiva será descrito a partir de alguns supostos a respeito das unidades de produção e consumo. A noção de equilíbrio para essa economia será definida, bem como formulado um teorema sobre a existência do equilíbrio. Vamos supor que há um número finito de mercadorias e serviços. Cada mercadoria pode ser comprada ou vendida em um finito número de mercados e um finito número de pontos futuros no tempo. Para nossos propósitos, a mesma mercadoria em dois locais diferentes e dois diferentes pontos no tempo será considerada como duas mercadorias diferentes. Assim, temos simultaneamente um número finito de mercadorias (quando o conceito é utilizado com as devidas especificações de tempo e espaço). As mercadorias são produzidas em unidades de produção (firmas). O número de unidades de produção será considerado um número finito. Alguns supostos básicos serão estabelecidos a respeito da natureza tecnológica do processo de produção".

O modelo traz para o presente, para este momento, como objeto da decisão e como objeto da solução de equações simultâneas todas as decisões que estariam no futuro e em todos os mercados. A pretexto de tratar o tempo, as decisões intertemporais, Arrow e Debreu eliminam o tempo e introduzem a atemporalidade. Além disso tornam compatíveis esses procedimentos com o suposto de perfeita informação. A racionalidade só é admissível se o agente racional decidir diante da sucessão de eventualidades e espaços de transação que estão à sua frente.

Um exemplo banal: a decisão do agente racional de comprar um guarda-chuva deve incluir tanto a decisão tomada em um dia de sol quanto a compra do guarda-chuva em dia de chuva. Provavelmente o preço do guarda-chuva vai aumentar em dias de chuva e o agente não pode desconsiderar essa hipótese.

As teorias novo-clássicas, com expectativas racionais, levaram ao paroxismo o modelo de equilíbrio geral: afirmam que a estrutura do

CAPÍTULO II - ENTRE A LÓGICA E O TEMPO

sistema econômico no futuro já está determinada agora. Isto porque a função de probabilidades que governou a economia no passado é a mesma distribuição de probabilidade que a governa no presente e a governará no futuro. Haveria por detrás das ações humanas estruturas *naturais* capazes de garantir a reprodução, quase sem atritos, das relações sociais. Tudo o que é sólido *não* se desmancha no ar.

As teorias econômicas dominantes e suas políticas permanecem espremidas entre a mitologia do equilíbrio e os manuais de instrução das arrumadeiras de casa ou de alfaiates especializados em ajustar fatiotas. Os fâmulos da ciência econômica se entregam à farsa pseudocientífica dos modelos engalanados por matemática de segunda classe.

Thomas Sargent, um dos corifeus das expectativas racionais nos oferece uma obra-prima da teologia da racionalidade dos agentes e dos mercados perfeitos e competitivos: "As pessoas dentro do modelo têm muito mais conhecimento sobre o sistema em que estão operando do que os economistas ou econometristas que estão usando o modelo para entender seu comportamento. Em particular, os econometristas enfrentam problemas de estimar a distribuição de probabilidades e as leis de movimento que são presumidas de conhecimento dos agentes. As estimativas e técnicas de inferência das expectativas racionais presumem que os agentes no modelo conheçam o que os econometristas estão estimando".

A matriz intelectual dessa ridicularia repousa nos fundamentos do individualismo metodológico que sustentou certezas econômicas e políticas dos últimos 40 anos. Aviadas nos gabinetes das universidades e das consultorias, essa coleção de crenças está apoiada em esquemas conceituais grotescos. A turma das expectativas racionais entregou a chamada ciência econômica às forças do pensamento mítico, em nome da despolitização e da "limpeza ideológica". A consequência dessa empreitada não foi apenas o irrealismo descuidado, mas as sucessivas e persistentes escaramuças para esconder o funcionamento concreto das economias capitalistas, um organismo em permanente transformação ao longo da história, na efetivação de suas leis de movimento.

São muitas as reações ao "descolamento" da teoria dominante diante do movimento concreto das economias contemporâneas. Entre tantas, é interessante observar o desenvolvimento da Econofísica, que se utiliza das teorias da complexidade e da álgebra relacional para (re) colar as estruturas e os processos econômicos na avalanche de dados acumulados pela ciência da computação.

No livro *Decoding Complexity: Uncovering Patterns of Economic Complexity*, o físico James Glattfelder escreve: "*a característica dos sistemas complexos é que o Todo exibe propriedades que não podem ser deduzidas das Partes individuais. Em suma, a teoria da complexidade trata de investigar como o comportamento macro decorre da interação entre os elementos do sistema*".

No movimento histórico das economias concretas estão abrigadas a irreversibilidade e a emergência do novo nas estruturas complexas, pesadelo dos economistas que dormem e sonham com modelos reversíveis e atemporais de equilíbrio geral, símiles de joguinhos de lego.

Nos modelos macroeconômicos contemporâneos, inspirados pela teoria das expectativas racionais, as flutuações da economia em torno de sua trajetória de equilíbrio decorrem de "choques exógenos", como mudanças tecnológicas ou na preferência dos consumidores; os mecanismos automáticos de ajuste operarão forte e rapidamente.

A economia tenderia automaticamente a passar de um estado de equilíbrio a outro, graças à operação das "forças naturais" do mercado. A "hipótese das expectativas racionais" fundamentam os modelos de equilíbrio geral dinâmicos e estocásticos, para reivindicar a estabilidade da economia de mercado. A "otimização" dos indivíduos racionais foi sintetizada no agente representativo que conhece a estrutura "real" da economia, bem como sua trajetória provável.

No artigo *La Preuve dans les Sciences Economiques*, Michel Aglietta afirma que Leon Walras conceituou seu modelo como "economia pura". Kenneth Arrow e Gerard Debreu, apoiados na matemática dos espaços compactos demonstraram a existência de equilíbrio com o teorema do ponto fixo. Nenhum deles, no entanto, deixou de reconhecer que os resultados eram normativos. "O equilíbrio geral definia um mundo econômico matematicamente perfeito. Ninguém foi capaz de mostrar os caminhos que deveriam ser seguidos para se alcançar tal equilíbrio".

CAPÍTULO II - ENTRE A LÓGICA E O TEMPO

Os escritos posteriores de Kenneth Arrow criticam as hipóteses de racionalidade, maximização da escala de utilidades individuais exercidas num espaço de mercados para todas as datas e contingências. As críticas sugerem que os dois economistas buscaram demonstrar as *condições lógico-matemáticas especiais* requeridas para a construção de um modelo de equilíbrio geral competitivo dotado de consistência intertemporal.

No livro *Epistemics and Economics* George Shackle cuida de encarar os enigmas do valor utilidade, da racionalidade e das relações entre o tempo e a lógica. No livro *Valor e Capitalismo* busquei o apoio de Shackle para decifrar os enigmas das teorias da utilidade, da racionalidade e do equilíbrio.

George Shackle avança na crítica e coloca a *utilidade* na alça de mira. Para que a *utilidade* tenha um significado não ambíguo é necessário resgatar o indivíduo de suas relações com os demais, concebê-lo de uma forma inteiramente "natural", como um complexo de necessidades em contraposição a recursos escassos. Shackle definiu o valor-utilidade como "a sombra do comportamento", colocando a questão nestes termos: "O valor surge da *possibilidade* da troca. Até que uma coisa possa ser possuída, em detrimento de outra, não surge o problema de se determinar a equivalência entre ambas". A ideia de troca, concebida dessa forma, "*não envolve necessariamente duas partes. O intercâmbio potencial entre dois bens, quando cada um deles pode ser produzido com o mesmo conjunto de recursos disponíveis, é uma escolha com que se defronta Robinson Crusoé ou qualquer indivíduo livre que disponha de tempo e poder para dirigi-la em uma ou em outra direção [...]. Quando falamos de um indivíduo livre, estamos nos referindo a alguém inteiramente isolado da influência de outros homens*".

A ideia de troca como *escolha* entre duas ou mais posições alternativas permite generalizar e tornar mais precisa a noção de utilidade como fundamento do valor e defini-la como uma relação entre os incrementos de utilidade, *dadas* as quantidades de bens ou recursos. É preciso ressaltar que, dessa forma, a adoção da teoria da utilidade marginal conduziu a uma subversão radical da problemática da Economia Política. Trata-se, agora, de discutir as condições de equilíbrio no processo de "troca", entendida como escolha entre duas ou mais posições subjetivas equivalentes. *Dada certa quantidade de bens ou recursos, o problema que se coloca é o de distribuí-los eficientemente entre usos alternativos, de modo que a vantagem obtida como uma utilização compense exatamente a perda por não os utilizar de outra forma.* Esse é o fulcro do teorema da escassez. *"Tanto se estamos nos referindo à distribuição de uma dada renda monetária entre determinado número de bens de consumo, como se nos referimos à alocação de fatores de produção entre usos alternativos, ou à distribuição de certo período de tempo entre trabalho e descanso, o princípio é sempre o mesmo. Ademais, em cada caso, o problema da alocação possui uma solução máxima somente se o processo de transferir uma unidade do recurso em questão para determinado uso, em detrimento dos demais, estiver sujeito a rendimentos decrescentes".*

Não é difícil compreender as consequências desta violenta transposição de níveis para a teoria da produção e da distribuição. O subjetivismo radical envolvido na noção de utilidade tem sua contrapartida objetiva na ideia de produção como um processo *natural*, concebido como uma relação entre insumos físicos que são misteriosamente transformados em certa quantidade de produto, representado por bens materiais e não materiais.

Aqui, a questão fundamental é a da redução dos elementos definidores da forma social da produção capitalista à sua dimensão natural, enquanto elementos universais de toda a produção. O conceito-chave dessa delicada operação redutiva é o de *fator de produção*. Ambos, capitalistas e trabalhadores, apresentam-se no mercado enquanto proprietários de fatores de produção cujos "serviços" se dispõem a vender em troca de uma remuneração.

Semelhante redução teórica ao mesmo tempo expulsa as classes sociais, como categorias relevantes da Economia Política, falsifica o conceito de capital, agora transfigurado em seus aspectos puramente físicos, e escamoteia a ideia de produção, agora concebida como uma avenida unidirecional que leva desde os fatores de produção até os bens de consumo.

Dadas as quantidades de cada fator, combinadas em determinadas proporções, obtemos imediatamente o produto correspondente. Entre os fatores designados como *primários* estão a terra, o capital e o trabalho,

CAPÍTULO II - ENTRE A LÓGICA E O TEMPO

cada um recebendo uma remuneração proporcional à sua contribuição para o processo produtivo. Na outra extremidade da avenida estão os consumidores, com suas escalas de preferência que, filtradas pelo sistema de preços, vão determinar o que deve ser produzido. É claro que a noção de "fatores primários", introduzida pela redução neoclássica, elimina do quadro teórico da produção capitalista o fato crucial de que os elementos que formam o "capital" são bens produzidos e, portanto, não podem ser tratados como um maná, caído dos céus por obra e graça de Javé.

O fulcro da crítica de George Shackle à escola marginalista é a desconsideração do tempo histórico. "O tempo e a lógica", comenta Shackle, "são estranhos um ao outro. O primeiro implica a ignorância, o segundo demanda um sistema de axiomas, um sistema envolvendo tudo o que é relevante. Mas, infelizmente, *o vazio do futuro* compromete a possibilidade da lógica".

O sistema atemporal convive com o longo prazo, um paradoxo. Os supostos que guiam as hipóteses da maximização da utilidade individual nos modelos de equilíbrio geral eliminam o tempo histórico *a priori*, ao imobilizar os indivíduos nas caixinhas da escolha racional onde *a utilidade se confronta com a escassez*. O suposto de longo prazo estende indefinidamente o tempo para aprisioná-lo nos jazigos da "rigidez cadavérica". Ambos os supostos reconhecem a dificuldade da interação racional entre os indivíduos. Para socorrer a racionalidade de suas agruras, surge a hipótese de informação perfeita para preencher a lacuna lógica. "A Informação completa para cada indivíduo deve incluir a escolha a ser feita pelos outros. Segue-se que as escolhas dos indivíduos devem estar pré-reconciliadas, isto é, devem ser simultâneas. O momento universal da escolha, de todas as escolhas de todos os indivíduos têm que ser logicamente realizadas no mesmo momento do tempo. Qualquer escolha feita em outro momento destruiria a completude da informação; o sistema não pode ter senão um momento".

George Shackle está simplesmente afirmando que a economia é um saber contaminado até os ossos pela temporalidade das decisões. A eliminação do tempo atende às exigências de rigor formal dos modelos matemáticos, encarregados de expulsar qualquer intromissão histórico-temporal.

Esse é o ponto de vista de Frederick Hayek, um dos mestres de Shackle. No artigo *Individualism and Economic Order*, Hayek retoricamente questiona: qual o problema que pretendemos resolver quando tentamos construir uma ordem econômica racional? Responde: "Certas suposições familiares oferecem uma solução bastante simples. Se possuímos toda a informação relevante, se for possível começar com uma dada escala de preferências e se tivermos o controle de todos os meios disponíveis, o problema é puramente lógico (...). As condições que esse problema de otimização deve satisfazer foram bastante trabalhadas e podem ser definidas da melhor forma matemática: sinteticamente, trata-se de demonstrar que as taxas marginais de substituição entre duas mercadorias ou entre fatores de produção devem ser as mesma em todos os usos diferentes".

Mas, diz o economista austríaco, esse não é o problema que a sociedade enfrenta. Os dados que sustentam o cálculo econômico não estão disponíveis como se a sociedade fora um único "cérebro". O problema da concepção da ordem econômica racional não pode desconhecer que as circunstâncias a serem avaliadas não existem de forma concentrada, mas apenas como partes dispersas de conhecimento incompleto e contraditório dos indivíduos separados. "O processo econômico não se reduz à questão de alocar recursos dados entre usos alternativos em decisão que cabe a uma inteligência única".

Entendido como um *processo* de geração de informações que se expressa nas variações dos preços, o mercado opera como um *sistema de planejamento e coordenação* das decisões individuais. Os resultados são sempre os melhores possíveis, diante da impossibilidade de antecipação perfeita hoje do que vai acontecer amanhã. Mas os erros das decisões de hoje serão corrigidos pela reiteração da liberdade de decidir. Prossegue Hayek: "Fundamentalmente, em um sistema no qual o conhecimento dos fatos relevantes está disperso em muitas pessoas, os preços podem coordenar as ações separadas das pessoas diferentes, da mesma forma que os valores subjetivos ajudam os indivíduos a coordenar seus planos".

Em seu livro *The knowledge we Lost in information*, Philip Mirowski analisa os desacordos de Hayek com as concepções racionalistas do sujeito

CAPÍTULO II - ENTRE A LÓGICA E O TEMPO

do conhecimento. Nos derradeiros escritos, Hayek admite a ignorância radical como o estado natural da humanidade. Em sua concepção o processo de conhecimento, abrigado nos recônditos do subconsciente, torna-se desconectado do sujeito que conhece.

Em *The primacy of the abstract,* Hayek sustenta que "a formação de novas abstrações jamais poder ser considerada como resultado de um processo consciente, algo que a mente deseja deliberadamente, mas sempre a descoberta de alguma coisa que já governa sua operação".

Esse ponto de vista desautoriza as versões que tomam o neoliberalismo hayekiano como um desdobramento do liberalismo clássico. O liberalismo dos novos tempos é um projeto de construção de um modo de vida comandado pela concorrência, apenas submetida às normas abstratas emanadas do Estado e garantidas por Leviatã.

Em 1948, Hayek reconheceu que *"a necessidade do indivíduo se submeter às forças anônimas e irracionais da sociedade produz demandas ilusórias que nenhum sistema pode satisfazer"*. O projeto neoliberal não admite que o mercado seja deixado às suas próprias forças para produzir os resultados desejados pelo *coletivismo individualista*.

Michel Foucault compreendeu com profundidade o significado do *intervencionismo neoliberal*. Contrariamente ao que imaginam detratores e adeptos, diz ele, o neoliberalismo é uma "prática de governo" na sociedade contemporânea. O credo neoliberal não pretende suprimir a ação do Estado, mas sim "introduzir a regulação do mercado como princípio enformador da sociedade".

Foucault dá importância secundária à hipótese mais óbvia sobre a arte neoliberal de governar, aquela que afirma a imposição do predomínio das formas mercantis sobre o conjunto das relações sociais. Para ele *"a sociedade regulada com base no mercado em que pensam os neoliberais é uma sociedade em que o princípio regulador não é tanto a troca de mercadorias quanto os mecanismos da concorrência... Trata-se de fazer do mercado, da concorrência e, por consequência da empresa, o que poderíamos chamar de 'poder enformador da sociedade'"*.

A sociedade e as concepções a respeito dela evoluem guiadas por um processo de seleção natural darwinista. Só sobrevivem os melhores e os mais aptos. A visão hayekiana da economia e da sociedade advoga abertamente a concorrência darwinista: a sobrevivência do mais forte e do mais apto é a palavra de ordem. Tombem os fracos pelo caminho.

Corey Robin, em artigo sobre as afinidades entre Nietszche e Hayek, afirma que o economista austríaco admite a necessidade das "decisões de uma elite governante" como antidoto às trapalhadas da malta trabalhadora. Nas páginas do famoso livro *The Road to Serfdom*, Hayek escreve: "o empregador e o indivíduo independente estão empenhados em definir e redefinir seu plano de vida, enquanto os trabalhadores cuidam, em grande medida, de se adaptar a uma situação dada". Robin conclui corretamente que ao indivíduo trabalhador dependente de Hayek faltam responsabilidade, iniciativa, curiosidade e ambição.

Por isso, nos escritos político-jurídicos, Hayek não hesita em escolher o liberalismo diante dos riscos da democracia. "Há um conflito irreconciliável entre democracia e capitalismo – não se trata da democracia como tal, mas de determinadas formas de organização democrática (...). Agora tornou-se indiscutível que os poderes da maioria são ilimitados e que governos com poderes ilimitados devem servir às maiorias a aos interesses especiais de grupos econômicos. Há boas razões para preferir um governo democrático limitado, mas devo confessar que prefiro um governo não democrático limitado pela lei a um governo democrático ilimitado (e, portanto, essencialmente sem lei)".

Shackle vai além na investigação do "processo de mercado" ao combinar criativamente Hayek, Keynes e Schumpeter. Para ele, a economia deveria estar comprometida em estudar o comportamento dos agentes privados em busca da riqueza, nos marcos de um quadro social e político produzido historicamente, isto é, construído pelas decisões passadas destes mesmos agentes ou de seus antecessores. Isto seria trivial, não fosse o fato de que cada nova decisão tem um caráter crucial, ou seja, toda nova decisão de acumular riqueza pode destruir para sempre as circunstâncias em que foi concebida. Inspirado em Schumpeter, Shackle está se referindo às decisões empresariais de investimento, de introduzir nova tecnologia ou de mudar a localização de seus empreendimentos. São decisões

CAPÍTULO II - ENTRE A LÓGICA E O TEMPO

cruciais, na medida em que "criam o futuro". Esta criação do futuro é, para ele, um ato originário e irredutível dos que controlam a criação de riqueza no capitalismo. Este ato é também irreversível e praticado em condições de incerteza radical.

Se há decisões que podem "criar o futuro", o processo econômico está mergulhado no fluxo do tempo histórico que, dizem, só passa uma vez pelo mesmo lugar. A economia está inexoravelmente mergulhada no fluxo do tempo, diz Sir John Hicks. "Todos os dados econômicos são datados. Assim, a evidência indutiva só pode estabelecer reações para o período a que referem estes dados. Se uma relação se manteve válida nos últimos 50 anos, não é razoável supor que ela vá permanecer válida nos próximos 50. Nas ciências naturais esta suposição é razoável, em economia ela não é. A economia está na linha divisória entre a ciência e a história. "

Em artigo já mencionado, *La Preuve dans les Sciences Economiques*, Michel Aglietta, ao tratar do tempo histórico, retoma a argumentação de Shackle: "A característica da história humana é a incerteza radical a respeito do futuro. Não é possível se valer do determinismo probabilístico nas ciências sociais. É o que pretendem os economistas do *mainstream*. Mas, as consequências são muito negativas. O projeto científico dos economistas convencionais só admite o tempo reversível, ou seja, o tempo é suprimido. Pior, assumir um indivíduo representativo como uma representação única do futuro até o infinito e postular a verdade objetiva, é grotesco".

Aqui cabe uma consideração a respeito da vertente do marginalismo desenvolvida por Alfred Marshall. Para tanto vou recorrer ao que escrevemos no livro *O Tempo de Keynes nos Tempos do Capitalismo*.

Marshall vai se apoiar numa hipótese mais modesta acerca do comportamento do indivíduo utilitarista. Procura pensar o comportamento do indivíduo como um processo de aprendizado em que a racionalidade é um meio limitado de enfrentar a concorrência e avaliar o comportamento dos outros. Não constrói arquétipos do real (aquilo que está por detrás do comportamento visível, a "verdadeira" natureza das relações econômicas). No prefácio à primeira edição dos *Princípios de economia*, Marshall faz questão de sublinhar sua discordância das teorias que se apoiam no conceito reducionista de *homo oeconomicus*: *"Tem-se tentado, na verdade, construir uma ciência abstrata com respeito às ações de um 'homem econômico' que não esteja sob influências éticas e que procure, prudente e energicamente, obter ganhos pecuniários movido por impulsos mecânicos e egoístas [...]. Na presente obra considera-se ação normal aquela que se espera, sob certas condições, dos membros de um grupo industrial [...]. A espertoza normal para procurar os melhores mercados onde comprar e vender, ou, ainda, para descobrir a melhor ocupação para si próprio ou para seus filhos – todas essas e outras suposições semelhantes serão relativas aos membros de uma classe particular, em determinado lugar e em determinado tempo".*

Em Marshall a ideia de equilíbrio supõe a *reprodução das circunstâncias existentes*, isto é, o equilíbrio se mantém enquanto os agentes imaginam que sua ação vem se desenvolvendo nas mesmas condições que vinham prevalecendo no passado. Marshall, ao contrário do que pretende Walras nos estudos sobre o Equilíbrio Geral, não procura qualquer transcendência no indivíduo racional e nos mercados competitivos. Para ele, a concorrência era um processo real, desenvolvido ao longo do tempo histórico, não podendo ser deduzido axiomaticamente do "comportamento racional e maximizador" dos indivíduos isolados. A concorrência é um *processo* que envolve o conjunto dos produtores e dos consumidores na busca da maior utilidade possível. Em *cada momento* do tempo as relações cambiantes entre a utilidade e o custo determinam as forças da demanda e as condições da oferta.

É dessa perspectiva que deve ser entendido o conceito de empresa representativa (hoje em dia utiliza-se no chamado *mainstream* a ideia de "agente representativo", um modelo de agente racional cujo comportamento paradigmático é o tipo ideal de todos os protagonistas da ação econômica). Para Marshall, a empresa representativa não é uma abstração dessa natureza. É a empresa média, que pode ser comparada com a indústria de composição orgânica média de Marx. Em determinado momento do processo de concorrência a economia apresenta – do ponto de vista da eficiência, medida pela capacidade de auferir *lucros normais* – empresas que estão abaixo e acima desse padrão. A concorrência conduz o conjunto das empresas, de forma desigual, a se aproximar ou a se afastar

CAPÍTULO II - ENTRE A LÓGICA E O TEMPO

da empresa média – da empresa representativa. Isso implica o aparecimento de novos produtores e o desaparecimento daqueles que vão se afastando da "empresa média".

As curvas de oferta e de demanda alteram-se de acordo com a mudança na preferência dos consumidores e conforme o deslocamento da curva de custos (daí a relevância dos ganhos de escala e das economias externas), levando o conjunto do sistema produtivo para outro ponto. Os pontos em que se cruzam as curvas de oferta mostram onde se situam as *possibilidades* de equilíbrio, *ao longo* do processo de concorrência entre as empresas.

Capítulo III
OS TRANSTORNOS DA MODERNIDADE

Na *Fenomenologia do Espírito*, Hegel prospecta a modernidade. "Nosso tempo é um tempo de nascimento e de passagem para um novo período. O espirito rompeu com seu mundo de existência e representação e está a ponto de submergi-lo no passado, e [se dedica] à tarefa de sua transformação (...). A frivolidade e o tédio que se propagam pelo que existe e o pressentimento indeterminado do desconhecido são os indícios de algo diverso que se aproxima. Esse desmoronamento gradual (...) é interrompido pela aurora, que revela num clarão a imagem do novo mundo".

No *Discurso Filosófico da Modernidade*, Jürgen Habermas invoca Baudelaire para demarcar a ruptura entre o *antigo* e o *moderno*. "Para Baudelaire a experiência *estética* confundia-se, nesse momento, com a experiência *histórica* da modernidade. Na experiência fundamental da modernidade estética, intensifica-se o problema da auto fundamentação, pois aqui o horizonte da experiência do tempo se reduz à subjetividade descentrada, que se afasta das convenções cotidianas. Para Baudelaire, a obra de arte moderna ocupa, por isso, um lugar notável na intersecção do eixo entre atualidade e eternidade: 'A modernidade é o transitório, o efêmero, o contingente, é a metade da arte, sendo a outra o eterno e o imutável'. O ponto de referência da modernidade torna-se agora uma atualidade que se consome a si mesma, custando-lhe a extensão de um período de transição, de um tempo atual, constituído no centro dos tempos modernos e que dura algumas décadas. O presente não pode mais obter sua consciência de si com base na oposição a uma época rejeitada e ultrapassada, a uma *figura* do passado. A atualidade só pode se constituir como o ponto de intersecção entre o tempo e a eternidade.

"Com esse contato sem mediação entre o atual e o eterno, certamente a modernidade não se livra do seu caráter precário, mas sim da sua trivialidade; na concepção de Baudelaire, ela aspira a que o momento transitório seja reconhecido como o passado autêntico de um presente futuro".

Esse momento transitório e o caráter precário da modernidade infestam a linhas e entrelinhas do pensamento de Karl Marx e de Frederick Nietzsche.

Nietzsche morreu em 15 de agosto de 1900. Nietzsche forma com Marx, desaparecido em 1883, a dupla de críticos mais radicais dos valores e das pretensões da moderna sociedade burguesa. Talvez não seja um acaso que tenham pensado os seus escritos no momento em que a ordem liberal burguesa entrava no apogeu no final do século XIX.

A obra de Nietzsche pode ser tomada como uma denúncia furiosa e implacável da sociedade maquinizada e mecanizada que subjuga o homem, um Ser destinado à criação do novo e à permanente superação de si próprio.

No livro *Pensadores Modernos*, o escritor Thomas Mann exalta Nietzsche como "um amigo da vida, um vidente da humanidade, um guia que nos conduz para o futuro, um mestre que nos ensina a superar tudo o que se opõe à vida, ao futuro. Ele nos ensina a superar o romântico, pois o romântico é a exaltação da nostalgia, a canção mágica da morte".

No *Discurso Filosófico da Modernidade*, Jurgen Habermas identifica as raízes do anti-racionalismo de Nietzsche. Assim como todos que tratam de escapar da dialética do Iluminismo, "Nietzsche empreende nivelações surpreendentes. A modernidade perde sua posição privilegiada;

CAPÍTULO III - OS TRANSTORNOS DA MODERNIDADE

é concebida apenas como a última etapa da história da racionalização que vem de muito longe e que se iniciou com a destruição da vida arcaica e a destruição do mito. Na Europa essa ruptura vem caracterizada por Sócrates e por Cristo, ou seja, pelo fundados do pensamento filosófico e pelo fundados do monoteísmo religioso".

Os aforismas de Nietzsche exclamam protestos conta as virtudes do cristianismo, contra o ressentimento e a má consciência dos fracos, permanentemente mergulhados na mediocridade da sociedade de massas. Nesse sentido, Nietzsche não pretende fazer a crítica das virtudes e dos valores da sociedade ocidental e cristã, mas sim promover a sua destruição para poder recria-los de acordo com a natureza essencial do homem.

Na *Genealogia da Moral,* Nietzsche não hesita em afirmar que "o grande perigo para os homens são os indivíduos doentios, não os maus, não os predadores. Sãos os desgraçados, os destruídos, os vencidos de antemão – são eles, são os fracos que mais solapam a vida entre os homens, que envenenam e colocam em questão da maneira mais perigosa nossa confiança na vida e nos homens".

Nietzsche é impiedoso com as virtudes. Ele as vê como instrumentos das forças que pretendem manter o homem subjugado e abatido em sua humanidade. A compaixão, por exemplo, é a confirmação da regra da desumanidade revelada através da exceção que ela pratica. Uma situação humana que suscita a compaixão é, em si mesma, a prova da injustiça. Exaltar a compaixão é buscar a confirmação da dependência do outro, de sua alienação e desumanização, na medida que o homem que a recebe não pode realizar em liberdade a sua natureza criadora.

Para Nietzsche, a compaixão é "mais prejudicial que qualquer vício". A compaixão é uma pérfida descoberta do Cristianismo para impedir os "fortes de fazerem aquilo que por natureza lhes cabe, nomeadamente, submeter os ´fracos` e fazerem deles o que entenderem".

"Exigir dos fortes que não se comportem como fortes, que não tenham uma vontade de poder, uma vontade de submeter os outros, uma vontade de senhores, uma sede contra os inimigos, de resistência e de triunfo, faz tão pouco sentido como exigir dos fracos que se comportem como fortes".

Zarathustra pregava a virtude como uma emanação da Vontade de Potência, o modo de ser do homem reinstaurado em sua natureza e aliviado da carga de falsos valores que aprisiona a existência humana. É preciso resgatar o mundo do Mito em que a virtude era a sua própria recompensa. Neste mundo dos deuses humanizados ou dos homens divinizados a virtude não requeria nenhuma retribuição nem contrapartida: "nem vingança, punição, prêmio ou retribuição".

Se Deus está morto, viva o Deus vivo. Não há transcendência na manifestação da virtude, apenas a exaltação da *energia*, da força natural, a retribuição que a virtude merece de si mesma. Trata-se de uma imanência ao mesmo tempo desesperada e esperançosa, porquanto a vontade de potência é a forma do homem estar no mundo e essa natureza exige a superação permanente do homem pelo super-homem. Esse é o eterno retorno. Keith-Ansell Pearson conclui corretamente que Nietzsche não permite que o "humano" e o "super-humano" se situem radicalmente opostos um ao outro. A experiência do "extraordinário" está no cerne de nossa existência cotidiana e usual e, apesar disso, todos os sinais do super-homem parecerão ao rebanho humano sinais de "enfermidade ou "loucura".

Daí que o super-homem só possa sobreviver às custas de uma multidão de escravos cuja existência só se justifica enquanto condição para o nascimento e renascimento daquele que vai superá-los. Nietzsche produziu discursos admiráveis que o colocam como o maior dos moralistas, sempre disposto a se colocar frontalmente contra a moral da maioria, como o filósofo do "pensamento nômade" capaz de pensar a contra-filosofia.

No prólogo de 1886 de *Humano, Demasiado Humano*, Nietzsche anuncia seu afastamento de Schopenhauer e de Richard Wagner: "fechei os olhos à cega vontade moral de Schopenhauer, num tempo em que era clarividente o bastante acerca da moral; e também me enganei quanto ao incurável romantismo de Richard Wagner, como se ele fosse um começo e não um fim".

É neste "livro para espíritos livres", publicado em 1878 que Nietzsche avança em seu projeto de romper com toda a tradição da

CAPÍTULO III - OS TRANSTORNOS DA MODERNIDADE

metafísica, da religião da moral e dos costumes do Ocidente e de se afirmar como um velho imoralista impiedoso, "além do bem e do mal".

Os espíritos livres, ele diz no prólogo, são apenas uma suspeita, um projeto que confessa ter inventado, mas que ainda não existem, nem nunca existiram. No aforismo 35 de *Humano, Demasiado Humano*, falando da "liberdade de Schopenhauer", Nietzsche é implacável: o homem sofre remorso e arrependimento porque se considera livre, não porque é livre. Ninguém é responsável. O *ser* "é consequência dos elementos e influxos de coisas passadas e presentes".

Essa é uma verdade assustadora, que todos preferem não enfrentar. É mais cômodo para os espíritos mergulhados na servidão, retornar à sombra e à inverdade. Já está aí sugerido que o prêmio da liberdade está reservado para o super-homem, ou seja, para quem se alçar acima daquilo que é humano, demasiado humano.

Em seus textos mais notáveis é possível perceber que a contra-filosofia acabou prisioneira da ordem social que pretendia criticar: "nós não conservamos nada; nem queremos, de fato, voltar a quaisquer períodos passados; não trabalhamos pelo progresso(...), simplesmente não consideramos desejável que um reino de justiça e concórdia deva estabelecer-se na terra, deliciamo-nos com os perigos, as guerras, as aventuras (...)". Estamos diante do super-humano que em sua liberdade criadora realiza as normas e os propósitos da concorrência capitalista.

É um desafio encontrar entre os pensadores modernos uma descrição tão iconoclasta do metabolismo social e ideológico promovido pela sociedade capitalista de massas que iniciava sua longa jornada. O rebanho humano, os perdedores, os fracos não se dão conta de que entre eles nascerá o "além do homem", como o pequeno-burguês ou o burguês pequeno não podem acreditar que sua crença nas virtudes da livre concorrência vá torná-lo uma vítima do *ser além-do-humano* encarnado no super-capitalista.

Norbert Trenkle reconhece a *modernidade* da Vontade de Potência nietzschiana: "o que Nietzsche aqui revela é muito diferente de uma vontade de poder arcaica, mas a expressão mais avançada da disposição interna do sujeito empenhado na concorrência desenfreada do Capitalismo. Coisas menos patéticas, mas não menos agressivas podem encontrar-se em inúmeros manuais de gestão e nos panfletos social-darwinistas da propaganda do Liberalismo e do Neoliberalismo. A invocação da Natureza é, na realidade, como sempre no pensamento burguês (e evidentemente também em Kant) apenas a afirmação mistificada e inconsciente da ordem dominante e das suas leis de selva secundária. É a 'segunda natureza' constituída pelo valor, o movimento autotélico da valorização que impõe aos homens o 'dever da apatia' e nomeadamente a absoluta indiferença perante o conteúdo e as consequências das suas ações e, sobretudo, perante os outros homens, considerados apenas como mercadorias concorrentes. A Razão formal nada tem a opor à dinâmica da violência, da destrutividade e desumanidade assim desencadeada, pois que lhe é inerente. Até a tentativa de Kant de substituir a compaixão pelo princípio da ́geral boa vontade para com o género humano ́ permanece prisioneira da lógica que quer subsumir toda a realidade a princípios gerais e abstratos, e por isso erra o alvo".

No artigo *A Negatividade Interrompida* Norbert Trenkel vale-se da crítica de Horkheimer e Adorno a Kant na *Dialética do Esclarecimento* para desvendar as contradições entre o formalismo da razão kantiana e os obscuros impulsos que governam a vida dos homens reais.

Isto é particularmente claro, diz Trenkel, no preceito Kantiano da apatia, segundo o qual o homem não deve deixar-se conduzir, em nenhuma circunstância, pelos seus sentimentos, inclinações e desejos, mas seguir apenas a "lei moral", ou seja, o princípio formal abstrato, transcendental, depurado de qualquer sentido concreto, da mais elevada máxima da Razão Prática.

Capítulo IV

KARL MARX, SOCIEDADE MODERNA E AUTONOMIA DO INDIVÍDUO

Na contramão de Nietzsche, a crítica de Marx é uma exaltação esperançosa das forças sociais capazes de realizar o projeto de liberdade e igualdade, as consignas do Iluminismo. Seu progressismo permite descobrir a existência das forças capazes de promover *praticamente* o desmascaramento das ilusões necessárias que impregnam a sociabilidade capitalista: onde se apregoa a liberdade, a igualdade, e a autonomia do indivíduo reinam, sob o regime despótico do capital, o fetichismo, a subordinação a dependência. A realização dos ideais do Iluminismo depende da força de transformação dos mais fracos.

A modernidade suscitou os enigmas da autonomia do indivíduo. A autonomia, ou seja, a eliminação dos constrangimentos de forças externas que submetem o corpo e o espírito dos indivíduos nascidos naturalmente livres e racionais. Marx é um herdeiro do Iluminismo ao desenvolver sua Crítica: crítica da filosofia, crítica da alienação religiosa, crítica da alienação política, crítica da Economia Política. Marx persegue as promessas e as contradições do pensamento moderno, liberal-democrático, mas rejeita as visões organicistas do romantismo alemão, que nascem neste período para reincorporar o indivíduo à comunidade. Reincorporar o sujeito que está separado, isolado, sozinho, irremediavelmente sozinho.

Na *Crítica à Filosofia do Direito de Hegel*, Karl Marx, dizia que "Na sociedade burguesa a contradição suprema se estabelece entre o homem *real*, ou seja, o indivíduo egoísta e o homem *verdadeiro*, ou seja, o cidadão ´abstrato´. O entrechoque entre o homem ´real` – o indivíduo egoísta – e o homem verdadeiro – o cidadão ´abstrato` – é mediado pelo conjunto de direitos produzidos historicamente pela luta social e política. Por isso, ´a democracia não é a última forma da emancipação humana, mas a forma mais avançada da emancipação humana dentro dos limites da organização atual da sociedade´". Marx, pensador infatigável da liberdade, escreveu ainda: "na democracia o princípio *formal* é ao mesmo tempo o princípio *material*".

4.1 REVOLUÇÃO INDUSTRIAL: PROMESSAS E CONTRADIÇÕES DO REGIME DO CAPITAL

Em sua investigação sobre a ruptura econômica e social produzida pela assim chamada Revolução Industrial, o historiador Carlo Cipolla escreveu: "A Revolução industrial transformou o Homem agricultor e pastor no manipulador de máquinas movidas por energia inanimada". Na comunidade dos economistas, não são raros os que pretendem submeter a constatação de Cipolla a um teste econométrico, baseado numa série temporal que colhe informações desde o Neolítico até as primeiras décadas do século XIX.

À falta de tão requintados procedimentos da positividade empirista, só nos resta recorrer aos pacientes trabalhos de Angus Maddison. No livro *The World Economy*, ele estima que, entre 1820 e 1913, a renda *per capita* na Grã-Bretanha cresceu a uma taxa três vezes maior do que aquela apresentada no período 1700-1820. A publicação da *Riqueza das Nações* e o aperfeiçoamento para fins comerciais da máquina a vapor de Newcomen por James Watt no mesmo ano, 1786, talvez forneçam testemunho ainda mais confiável a respeito da radical ruptura no modo de produzir e nas formas de regulação da vida econômica e social.

Aí nasce, de fato, o capitalismo, logo adiante sobranceiro em sua autodeterminação, alcançada mediante a constituição das forças produtivas

CAPÍTULO IV - KARL MARX, SOCIEDADE MODERNA E AUTONOMIA...

ajustadas à sua natureza irrequieta. A Revolução Industrial engendrou a separação entre os setores de bens de produção e de bens de consumo. A divisão interna do trabalho na manufatura celebrada por Adam Smith suscitou a especialização das funções dos trabalhadores e abriu espaço para a mecanização do trabalho, ou seja, a utilização crescente de máquinas cuja produção também "industrializada" promoveu a divisão social do trabalho entre o departamento de bens de produção e o departamento de bens de consumo.

O surgimento da indústria como sistema produção apoiado na maquinaria carrega nos ossos o progresso técnico, intensifica a divisão social do trabalho ao especializar as tarefas e engendra diferenciações na estrutura produtiva, promovendo encadeamentos intra e intersetoriais.

Assentada sobre suas bases materiais, a economia da indústria promove a nova sociabilidade, aquela amparada nas realidades do assalariamento generalizado e nas aspirações de liberdade e de autonomia individual. Na mesma toada, o industrialismo capitalista suscitou o desenvolvimento da metrópole, tabernáculo da modernidade, cuja efervescência cultural, não raro, exprime as misérias sociais nascidas das turbulências do progresso. É aconselhável consultar, entre outros, Balzac, Dickens, Baudelaire, Flaubert e Zola.

Os autores do século XIX anteciparam a *industrialização* do campo e perceberam a importância dos novos serviços funcionais gestados no rastro da expansão da grande empresa industrial e promovidos pela racionalização e burocratização dos métodos administrativos.

O avanço tecnológico livra progressivamente a agricultura dos caprichos da natureza. Da mesma forma, há que considerar as relações umbilicais entre a Revolução Industrial e a revolução nos Transportes e nas Comunicações. É reconhecida a mútua fecundação entre a constituição do setor de bens de produção – apoiado nos avanços metalurgia e da mecânica – e a expansão da ferrovia e do navio a vapor.

Essa reordenação da economia exigiu uma resposta também pronta dos países retardatários. Para a Alemanha de Bismark, para os Estados Unidos de Alexander Hamilton e para os japoneses da revolução Meiji, a industrialização não era uma questão de escolha, mas uma imposição de sobrevivência das nações, de seus povos e de suas identidades.

A industrialização dos retardatários se confunde com as inovações da Segunda Revolução Industrial. O aço, a eletricidade, o motor a combustão, a química e a farmacêutica são os protagonistas dos combates competitivos da *Belle Époque*. As transformações financeiras do crepúsculo do século XIX promoveram a centralização do capital requerida para o aumento das escalas de produção implícitas nas novas tecnologias. Isso seria inconcebível sem a concentração das relações de débito-crédito nos bancos de depósito e nas proezas dos bancos de negócios, sôfregos em "fixar" o capital-dinheiro em novos investimentos.

É descuido imperdoável ignorar que algumas inovações da Segunda Revolução Industrial do final do século XIX – especialmente a ampliação da capacidade dos navios a vapor, o navio frigorífico e o telégrafo – "produziram" os produtores de alimentos e matérias-primas nas regiões periféricas. A rápida escalada industrial dos Estados Unidos e a incorporação da Argentina, da Austrália, da Nova Zelândia, do Brasil reconfiguraram a divisão internacional do trabalho e atraíram milhões de trabalhadores lançados na miséria pela depressão da agricultura europeia.

Depois do surgimento do capitalismo industrial, mais precisamente depois de 1850, diz Carlo Cippola, o passado não era apenas o que havia passado. O passado estava morto. A partir de então, o *Prometeu Desacorrentado* foi incansável em seu labor. Empenha-se agora na "reinvenção" da natureza e na criação das técnicas que poderiam ensejar a proteção do ecúmeno.

Aí estão as inovações da inteligência artificial, da biotecnologia, das alterações nas estruturas atômicas dos materiais, da impressão 3D, das novas energias limpas. Como disse Alfred Whitehead: "o homem inventou o método de inventar". Resta aos homens (no plural) a incumbência de reinventar a vida social para fruir as liberdades e benesses oferecidas pelas proezas de Prometeu.

Para Karl Marx, o Regime do Capital é um modo histórico de produção que se desenvolveu a partir da libertação dos subalternos dos

CAPÍTULO IV - KARL MARX, SOCIEDADE MODERNA E AUTONOMIA...

nexos da servidão, promovendo a divisão social do trabalho, o impulso privado ao ganho monetário e, portanto, a generalização do mercado. No curso de seu desenvolvimento foram gestadas técnicas e formas de produção e de uso de energia não-humana que o diferenciam radicalmente de outras formações sociais e econômicas.

Ao empreender a crítica da Economia Política, Karl Marx procede à minuciosa desconstrução da arquitetura teórica da Economia Clássica e de sua descendência pós-ricardiana. Essa desconstrução promove a erosão dos fundamentos naturalistas, racionalistas, individualistas e harmonistas.

O regime do capital engendrou um processo econômico e formas de sociabilidade, cujo desenvolvimento abriu a possibilidade de libertar a vida humana e suas necessidades das limitações impostas pela natureza. A indústria moderna, essa formidável *máquina de eliminação da escassez*, oferece aos homens e mulheres a "realidade possível" da satisfação dos carecimentos e da libertação de todas as opressões pelo outro. Mas na marcha de sua realidade real, o capitalismo os aprisiona nas cadeias das relações de produção, estruturas técnico-econômicas e formas de convivência que agem sobre o destino dos protagonistas da vida social como forças naturais que destroem a natureza, fora do controle da ação humana.

Em *Grundrisse* e *O Capital*, em seus modos peculiares de investigação e de exposição, Marx aborda o Regime do Capital tal como se apresentava a seus olhos, ou seja, já constituído em suas dimensões produtivas, monetárias e financeiras. Na exposição, Marx vai empreender a aventura de reconstituição lógico-genética do regime do capital, partindo das formas mais simples e abstratas para as mais concretas e complexas.

Afirma Marx nos *Grundrisse*: "Aqui tratamos da sociedade burguesa *consumada*, que se move sobre sua própria base. O capital provém inicialmente da circulação, na verdade, do dinheiro como seu ponto de partida. Vimos que o dinheiro que entra na circulação e ao mesmo tempo dela retorna a si é a última forma em que o dinheiro supera a si mesmo. É ao mesmo tempo o primeiro conceito do capital e a sua primeira forma fenomênica. O dinheiro nega-se ao simplesmente se dissolver na circulação; mas nega-se da mesma forma ao confrontar autonomamente a circulação.

Essa negação, sintetizada em suas determinações positivas, contém os primeiros elementos do capital. O dinheiro é a primeira forma em que aparece o capital enquanto tal. DM-M-D (...)".

Em Marx, as formas mais desenvolvidas subordinam e rearranjam a posição e o sentido das formas mais elementares. As posições das categorias se alteram: a forma valor, na afirmação de seu império, vai assumindo configurações mais concretas ao longo do processo de *abstração real*. Não se trata de um jogo conceitual engendrado na mente do investigador. O movimento de abstração real acompanha a "construção" teórica de *O Capital*.

Stefano Breda aborda o método de construção de *O Capital* em seu artigo *La dialettica marxiana come critica immanente dell'empiria*: "O desenvolvimento dialético do conceito de capital é, portanto, um desdobramento de sua temporalidade lógica. Esse desdobramento assume a forma de uma sucessão de transições categoriais. Não correspondem a eventos já ocorridos ou que venham a ocorrer no curso da evolução histórica das relações capitalistas, mas, sim, a nexos lógicos constantemente pressupostos pela existência mesma daquelas relações. A única história, objeto do desenvolvimento dialético, é aquela que se apresenta idêntica todos os dias perante nossos olhos. Não uma história feita de eventos únicos sucessivos, mas um conjunto de elementos que se reproduz conforme uma mesma ordem estruturada".

A concepções ossificadas – à direita e à esquerda – deixam de examinar o capitalismo como uma forma histórica de relações econômicas, sociais e políticas que se reproduzem num movimento incessante de diferenciação e autotransformação. O capitalismo se transforma no processo de reprodução de suas estruturas.

Nos *Grundrisse* Marx busca desvencilhar a economia política de sua imobilização na imediatidade material, naturalista, individualista e racionalista: "A economia política trata das formas sociais específicas da riqueza ou, melhor dizendo, da produção da riqueza. O seu material, seja ele subjetivo, como o trabalho, ou objetivo, como os objetos para a satisfação de necessidades naturais ou históricas, aparece, de início,

CAPÍTULO IV - KARL MARX, SOCIEDADE MODERNA E AUTONOMIA...

comum a todas as épocas da produção. Em consequência, este material aparece primeiramente como simples pressuposto que se situa totalmente *fora da reflexão da economia política* e só entra na esfera da reflexão quando é modificado pelas relações formais ou aparece modificando-as. O que se costuma dizer sobre isso em termos gerais limita-se a abstrações que tiveram seu valor histórico nas primeiras tentativas da economia política, nas quais as formas foram extraídas penosamente do material e fixadas com grande esforço como objeto próprio da reflexão. Mais tarde, elas se tornam lugares-comuns maçantes, tanto mais repulsivos quanto mais se apresentam com pretensão científica. Isso vale principalmente para a conversa fiada que os economistas alemães costumam desfiar sob a categoria de 'bens'".

A mercadoria não é um "bem", como pretendem os antigos economistas alemães e os também antigos economistas contemporâneos. A mercadoria é a forma elementar da riqueza na sociedade constituída pelo domínio das relações de intercâmbio entre produtores independentes e livres. Mas, na dialética das formas, a mercadoria só pode *realizar* seu conceito no dinheiro, a mercadoria universal. A mercadoria como *categoria econômica e social* exprime as relações entre produtores independentes que buscam realizar o valor de suas mercadorias na venda do produto de seu trabalho. Marx procura demonstrar que a mercadoria não pode ser concebida sem a universalização do mercado imposta pelo dinheiro, a forma geral da riqueza.

Diz Marx nos *Grundrisse*: "Para reter o dinheiro enquanto tal, a avareza tem que sacrificar e renunciar à toda relação com os objetos das necessidades particulares, de modo a satisfazer a necessidade da avidez por dinheiro enquanto tal. A avidez por dinheiro e a mania de enriquecimento são necessariamente o ocaso das antigas comunidades. Daí a oposição ao dinheiro. O próprio dinheiro é a *comunidade* e não pode tolerar nenhuma outra superior a ele. Mas isso pressupõe o pleno desenvolvimento dos valores de troca e, por conseguinte, uma organização da sociedade [correspondente] a tal desenvolvimento".

A universalização do mercado, ou seja, o intercâmbio generalizado de mercadorias comandado pelo dinheiro, só encontra sua realização na forma Capital, o valor que se valoriza, mediante a fruição do tempo de trabalho abstrato apropriado dos trabalhadores coletivizados. O circuito do capital – Dinheiro-Mercadoria – mais Dinheiro constitui uma economia monetária, na qual o dinheiro é a forma geral do valor e da riqueza, meio de circulação e o objetivo da produção.

A economia de troca generalizada é necessariamente uma economia monetária, ou seja, uma economia que impõe a manifestação das relações entre os trabalhos privados mediante a *autonomização do dinheiro diante das mercadorias particulares*.

A ordem monetária capitalista não é um espaço homogêneo onde os desejos dos indivíduos utilitaristas se harmonizam, senão um organismo em perpétuo conflito e transformação. A divisão do trabalho, a diferenciação de funções, a individuação de comportamentos e valores são a marca registrada da sociabilidade moderna. Seu desenvolvimento impõe, portanto, a intensificação da dependência recíproca e a ampliação das relações monetárias.

O social se desenvolve de forma ambígua e contraditória: aparece, diante dos indivíduos, como um espaço infinito da escolha, da produção incessante de desejos e das possibilidades de sua satisfação, mas também opera nos bastidores da alma como uma força autônoma e constrangedora, um sistema de necessidades que só pode ser satisfeito pelo sucesso das múltiplas conexões monetárias. O sucesso do turbilhão de apostas privadas depende do processamento pelo mercado das ações intencionais dos possuidores de riqueza, cujo resultado, no entanto, escapa às intenções e ao controle dos centros privados de decisão.

O aprofundamento e a difusão das relações de troca estimulam e são estimulados pela divisão do trabalho, a especialização das atividades e os ganhos de produtividade que estabelecem o tempo de trabalho socialmente necessário.

Isto quer dizer que os produtores produzem diretamente para a troca com o objetivo de transformar a sua mercadoria particular em dinheiro, na *forma do valor e na expressão geral da riqueza*. Esse é o sentido do Regime do Capital como sistema de intercâmbio generalizado. No

CAPÍTULO IV - KARL MARX, SOCIEDADE MODERNA E AUTONOMIA...

Regime do Capital o dinheiro enquanto forma universal da riqueza deixa de ser um intermediário das trocas já existentes e passa a ser uma antecipação em relação à produção futura, ou seja, capital-dinheiro. Nos *Grundrisse* Marx explicita a transmutação do dinheiro de meio de troca para pressuposto e objetivo da circulação mercantil: "Mas se pretendemos que o dinheiro só troca riquezas materiais já existentes, então isto é falso, já que com o dinheiro se troca e se compra também trabalho, ou seja, a própria atividade produtiva, a *riqueza potencial*".

Riqueza potencial é conceito crucial para a compreensão do método de investigação e de exposição de Marx em sua perseguição das articulações das formas que movem a dinâmica do regime do capital.

É importante sublinhar que, para Karl Marx, a produção de valores de uso assim como a utilização da força de trabalho é um meio para a acumulação de riqueza abstrata. O desvendamento da dinâmica engendrada pela forma dinheiro do capital, o capital-dinheiro como *riqueza potencial*, é fundamental para a compreensão das articulações entre dinheiro, capital-dinheiro, forças produtivas capitalistas, esquemas de reprodução, concorrência, sistema de crédito, *capital fictício*. Concentrado no aparato dos bancos e demais instituições financeiras, o crédito é a riqueza potencial em sua forma mais desenvolvida. Os movimentos de expansão e contração do crédito pertencem à intimidade da dinâmica capitalista e não podem ser entendidos como distorções ou anomalias, como pretendem os economistas da escola austríaca.

A seguir vamos examinar o estatuto teórico das categorias enunciadas acima, para depois investigar as conexões que Marx estabelece entre elas ao longo do percurso dos *Grundrisse* e de *O Capital*.

4.1.1 Capital Fixo

Nos *Grundrisse*, Marx investigou com profundidade a importância das transformações dos valores de uso, os instrumentos de trabalho, no processo de valorização do capital. Já na manufatura, o controle dos tempos e movimentos dos trabalhadores reunidos e "especializados" em distintas funções sob o comando do mesmo capital cria as condições para o desenvolvimento das forças produtivas especificamente capitalistas.

A materialidade dos valores de uso do capital fixo se apresenta como a forma adequada de geração e apropriação do valor no regime do capital. As digressões sobre a especificidade do capital fixo no processo de valorização são indispensáveis para a compreensão das contradições que comandam a dinâmica desse modo de produção.

"Tal como levados direta e historicamente pelo capital para dentro de seu processo de valorização, os meios de trabalho experimentam apenas uma mudança formal. Agora, [como capital fixo] do ponto de vista material, eles aparecem não só como meios do trabalho, mas ao mesmo tempo como um modo de existência particular deles, determinado pelo processo total do capital – como *capital fixo*. Assimilado ao processo de produção do capital, o meio de trabalho passa por diversas metamorfoses, das quais a última é a *máquina* ou, melhor dizendo, um *sistema automático da maquinaria* (sistema da maquinaria; o *automático* é apenas a sua forma mais adequada, mais aperfeiçoada, e somente o que transforma a própria maquinaria em um sistema), posto em movimento por um autômato, por *uma força motriz que se movimenta por si mesma*; tal autômato consistindo em numerosos órgãos mecânicos e intelectuais, de modo que os próprios trabalhadores são definidos somente como membros conscientes dele. Na máquina e mais ainda na maquinaria como um sistema automático, o meio de trabalho é transformado quanto ao seu valor de uso, *i.e.*, quanto à sua existência material, em uma existência adequada ao capital fixo ao capital como um todo (...). A forma em que foi assimilado como meio de trabalho imediato ao processo de produção do capital foi abolida em uma forma posta pelo próprio capital e a ele correspondente".

A autonomização da estrutura técnica não significa apenas que o capital tenha absorvido as potencialidades subjetivas do trabalhador e as cristalizado em formas materiais próprias (sistema de maquinaria). Mais que isso, o aparecimento dessas formas materiais se revela no que diz respeito à divisão social do trabalho pelo surgimento de um setor especializado na produção dos elementos materiais, que compõem o capital constante, que agora se diferencia tecnicamente do setor destinado à produção de meios de consumo.

A produção material passa a corresponder agora às relações sociais que lhe deram origem e, assim, o movimento de acumulação e de

CAPÍTULO IV - KARL MARX, SOCIEDADE MODERNA E AUTONOMIA...

reprodução capitalista se transforma definitivamente em um processo objetivo, desembaraçado de quaisquer limites, senão os fixados pela própria dinâmica do capital. Em outras palavras, o capital remove os limites "naturais" à sua expansão. Os instrumentos de produção, arrancados da habilidade do trabalhador individual, que os manejava e os produzia, passa a ser produzido segundo os ditames do Regime do Capital. Na medida em que estão submetidos às normas da produção capitalista, passam a ser regulados pelas leis que compelem esse regime de produção ao alargamento continuado do valor-capital. Isto é, a potenciação recorrente da força produtiva do trabalho social, ao mesmo tempo em que é impulsionada pela introdução de novos métodos, também impulsiona a criação de novos valores de uso adequados à expansão do valor-capital.

O capitalismo "desqualifica" sistematicamente a força de trabalho, dispensando as habilidades do trabalhador, até transformá-lo num mero supervisor da operação da maquinaria. O emprego crescente da máquina torna sua presença cada vez mais dispensável.

Sustenta Marx nos *Grundrisse*: "A verdadeira economia – poupança – consiste em poupança de tempo de trabalho e redução ao mínimo dos custos de produção; essa poupança, no entanto, é idêntica ao desenvolvimento da força produtiva. Portanto, não significa, de modo algum, renúncia à fruição, mas desenvolvimento de poder, de capacidades para a produção e, consequentemente, tanto das capacidades quanto dos meios da fruição. A poupança de tempo de trabalho pode ser considerada como produção de capital fixo".

Marx, nos *Grundrisse*, vislumbrou o momento em que o avanço dos métodos capitalistas de produção tornaria o tempo de trabalho uma "base miserável" para a valorização da imensa massa de valor que deverá funcionar como capital. "O próprio capital é a contradição em processo, [pelo fato] de que procura reduzir o tempo de trabalho a um mínimo, ao mesmo tempo que, por outro lado, põe o tempo de trabalho como única medida e fonte da riqueza".

Em seu artigo sobre os *Grundrisse*, Michael Heinrich desenvolve uma crítica à forma como Marx investiga a contradição do progresso técnico capitalista. "Nos Grundrisse, Marx atribuiu a essa contradição o potencial colapso do modo capitalista de produção. Em *O Capital* essa contradição é resolvida: o capitalista não está interessado no valor absoluto da mercadoria, mas, sim, na mais-valia contida nela e capaz de ser realizada mediante a venda".

Peço licença para reproduzir os argumentos exarados nos livros *Valor e Capitalismo* e *O Capital e suas Metamorfoses*.

As mudanças na composição orgânica do capital, ao contrário do que se supõe, geralmente não estão, senão em última instância, relacionadas à necessidade de rebaixar continuamente os salários. Ora, já foi dito que o processo de constituição das forças capitalistas de produção e a consequente dominação dos elementos subjetivos do processo de trabalho pelos elementos objetivos consubstanciados no sistema de maquinaria implicam uma autonomização da estrutura técnica do capital, cujo desenvolvimento não faz senão confirmar a razão que lhe deu origem: a redução do tempo de trabalho socialmente necessário e a produção continuada de mais-valia relativa. O progresso técnico passa a fazer parte das virtudes do sujeito-capital e, como tal, só pode se exprimir enquanto arma de combate dos capitais individuais. Nesse sentido, é indiferente para o capitalista introduzir uma inovação que diretamente lhe rebaixe os custos salariais ou reduza o *input* de matérias-primas, ou mesmo substitua uma máquina menos eficiente por uma mais eficiente. O importante é que a introdução da inovação confira ao capital individual a capacidade de reduzir o valor de seu produto abaixo de seu *valor social*.

É inequívoco que a generalização das inovações tende a reduzir o tempo de trabalho abstrato e que só o faz substituindo de forma crescente trabalho vivo por trabalho objetivado nos meios de produção. Mas, ainda que isso seja consequência inevitável do processo e, ao mesmo tempo, sua razão mais profunda, sua razão imediata está dada pelo confronto entre as parcelas em que se fraciona o *capital social*.

Isso significa, falando em nível mais alto de abstração, que submissão do trabalho, autonomização da estrutura técnica e, portanto,

CAPÍTULO IV - KARL MARX, SOCIEDADE MODERNA E AUTONOMIA...

reversão das potencialidades do trabalho para o capital, estabelecem a *dominância* da concorrência entre capitais sobre as relações entre capital e trabalho no movimento do modo de produção capitalista.

A estrutura do *capital em geral* se move mediante a concorrência entre os capitais individuais, sempre no propósito, mediante o progresso técnico, de violação constante da lei que os obriga a produzir de acordo com o tempo de trabalho socialmente necessário. A lei do valor é, portanto, a lei da violação permanente das condições existentes da equivalência. Ao mesmo tempo, a lei só pode funcionar se os protagonistas da troca (inclusive os possuidores da força de trabalho) se submetem à "ilusão necessária" que os convence das condições de "igualdade" no processo de intercâmbio generalizado.

No seu processo de valorização o capital é obrigado a submeter simultaneamente massas crescentes de trabalho e, no processo de concorrência, superar seus sócios-competidores e desvalorizar continuadamente o valor da força de trabalho, tornar o trabalho redundante. A construção das formas se desdobra, como veremos, do universal abstrato – a mercadoria – para a vida concreta em que predominam as relações de débito e crédito, a moeda bancária, o capital fictício a concorrência em suas determinações definitivas.

As tendências da dinâmica capitalista reafirmam sua "natureza" como modalidade histórica cujo propósito é a acumulação de riqueza abstrata. Marx argumenta em *O Capital*: "Aqueles que acham que atribuir ao *valor* existência independente é mera abstração, esquecem que o movimento do capital industrial é essa abstração como realidade operante".

4.1.2 Capital Fixo e *General Intellect*

No processo contraditório de autotransformação, a materialidade do capital fixo entrega sua alma à espiritualidade do trabalho intelectual. Diz Marx nos *Grundrisse*: "Quando o capital fixo aparece como uma máquina no processo de produção, em oposição ao trabalho, quando o processo de trabalho em sua totalidade não está mais submetido à habilidade do trabalhador, mas à aplicação tecnológica da ciência, então a tendência do capital é dar à produção um caráter científico (...). O desenvolvimento do capital fixo indica o grau em que o *conhecimento social* tornou-se uma força direta de produção e em que medida, portanto, o processo da vida social foi colocado sob o controle do *General Intellect* e passou a ser transformado de acordo com ele".

O conceito de *capital fixo* em Marx envolve, portanto, um potencial inesgotável de avanço tecnológico e isto significa necessariamente a criação de aparatos educacionais e científicos institucionalmente articulados. O *General Intellect* se institui em uma forma de apropriação dos significados do conhecimento humano, em particular dos códigos da ciência. O capital toma para seus propósitos a educação, cujos métodos e objetivos são ajustados aos requerimentos da aceleração da valorização do capital e da desvalorização do trabalho, no mesmo movimento em que impõe critérios de qualificação dos trabalhadores cada vez mais exclusivos e "excludentes".

Em seu desenvolvimento, a Indústria 4.0 exprime o avanço do capital fixo promovido pelo General Intellect. São fabricas inteligentes que operam com máquinas conectadas em rede a sistemas que podem visualizar toda cadeia produtiva, podendo tomar decisões por si só. A nova fase da digitalização da manufatura é conduzida pelo aumento do volume de dados, ampliação do poder computacional e conectividade, a emergência de capacidades analíticas aplicada aos negócios, novas formas de interação entre homem e máquina, e melhorias na transferência de instruções digitais para o mundo físico, como a robótica avançada e impressoras 3-D.

É intenso o movimento de automação baseado na utilização de redes de "máquinas inteligentes". Nanotecnologia, neurociência, biotecnologia, novas formas de energia e novos materiais formam o bloco de inovações com enorme potencial de revolucionar outra vez as bases técnicas do capitalismo. Todos os métodos que nascem dessa base técnica não podem senão confirmar sua razão interna: são métodos de produção destinados a aumentar a produtividade social do trabalho em escala crescente. Sua aplicação continuada torna o trabalho imediato

CAPÍTULO IV - KARL MARX, SOCIEDADE MODERNA E AUTONOMIA...

cada vez mais redundante. A autonomização da estrutura técnica significa que a aplicação da ciência se torna o critério dominante no desenvolvimento da produção. Marx desvendou no movimento autoreferencial de *valorização* gerado nas engrenagens "tecnológicas" do regime de capital, a aceleração do tempo e o encolhimento do espaço. Esses fenômenos gêmeos estão presentes na globalização, na *financeirização* e nos processos de produção da indústria 4.0.

Observa Marx nos *Grundrisse*: "Quanto mais desenvolvido o capital e mais amplo o mercado no qual circula, o que se constitui na rota espacial de sua circulação, mais e mais ele buscará um espaço maior para o seu mercado e, portanto, maior será a destruição do espaço pelo tempo".

O encolhimento do espaço pela aceleração do tempo se associa à desvalorização do velho pelo novo. O avanço tecnológico sob o comando do capital fixo promove ciclicamente episódios de desvalorização do capital existente e suscita a concentração e centralização empresarial sob comando das grandes instituições financeiras. O movimento sempre revolucionário de expansão do regime do capital é descrito por Schumpeter como "destruição criadora". Marx tratou as crises como episódios de desvalorização do capital existente, fenômeno que nasce das entranhas da acumulação, necessário para expurgar o peso da riqueza velha e impulsionar um novo ciclo de expansão.

4.1.3 Globalização, Financeirização e Monopolização

Os avanços da inteligência artificial, da *internet* das coisas e da nanotecnologia levaram à frente as assimetrias entre países, classes sociais e empresas. Isso suscitou a intensificação da introdução dos métodos "industriais" na agricultura e nos serviços, promovendo o que convencionamos qualificar de *hiperindustrialização*.

Filhas diletas da aceleração do tempo e encurtamento do espaço, a globalização financeira e a deslocalização produtiva levaram à exasperação os desencontros nas relações entre a integração dos mercados, a estratégia da grande empresa transnacional e os espaços jurídico-políticos nacionais. Os espaços nacionais integrados às cadeias de valor globalizadas sofreram os efeitos da desintegração social promovida pela aceleração dos tempos de produção e circulação do capital.

Em artigo escrito com o professor Davi Antunes, tratamos das transformações do capitalismo ocorridas desde os anos 70 do século XX. Essa reestruturação do capitalismo envolveu mudanças profundas na operação das empresas, na integração dos mercados e na soberania do Estado. Em primeiro lugar, a empresa oligopolista, "conglomerada" e "verticalizada", desmontou a velha estrutura e concentrou-se na "atividade principal". A nova empresa assumiu a função "integradora" no comando de uma rede de fornecedores. Em segundo lugar, as decisões empresariais estratégicas foram submetidas ao "comando sistêmico" de poucas instituições financeiras. Em terceiro lugar, sob os auspícios do capital financeiro, ocorreu a centralização do capital à escala mundial, o que envolveu a vitória do "valor do acionista" sobre as "ultrapassadas" estratégias de crescimento da firma apoiada no investimento produtivo via lucros retidos. Neste texto, vamos detalhar tais transformações e discutir suas implicações.

A "desconglomeração" e a centralização da estrutura produtiva ocorreu em conjunto com profunda reorganização empresarial, levando a uma redução drástica do número de empresas. Toda a economia mundial passou a ser dominada por pouquíssimas empresas, em geral, de países desenvolvidos. O setor de equipamentos de telefonia móvel, por exemplo, é dominado por cinco empresas, o farmacêutico por dez empresas e o de aviões comerciais de grande porte por apenas duas. Em termos do gasto com *pesquisa & desenvolvimento*, a concentração é semelhante: apenas cem grandes empresas concentram 60% do gasto em P&D, sendo 2/3 dos gastos realizados em apenas 3 setores (informática, farmacêutico e automotivo).

GRANDES EMPRESAS E PARTICIPAÇÃO NO MERCADO MUNDIAL
Setores selecionados, 2009

SETOR	NÚMERO DE EMPRESAS	PARTICIPAÇÃO (%)
Equipamento Agrícola	3	69
Farmacêutica	10	69
Computadores pessoais	4	55
Equipamentos telefonia móvel	3	77
Automóveis	10	77
Aviões comerciais de grande porte	2	100

Fonte: Financial Times apud Nolan&Zhang (2010)

Concentrando seus recursos no *core business* (marca, *marketing, design, pesquisa & desenvolvimento* (P&D)), as grandes empresas ganharam dimensão global através de fusões e aquisições e se tornaram integradoras de cadeias globais de produção terceirizadas. A empresa integradora se desverticalizou, vendendo ativos e terceirizando atividades, e forçou seus fornecedores a também ganharem escala mundial e a se fundirem, num grande efeito cascata. Um exemplo eloquente é a Boeing. O 787 *Dreamliner* foi projetado integralmente em computadores, mas sua produção foi largamente terceirizada: 70% dos 2,3 milhões de componentes foram produzidos por cinquenta empresas em diversos países. Isto não significa que houve perda de controle sobre a produção, já que a Boeing, gerenciava em tempo real os fornecedores, os fornecedores dos próprios fornecedores, sincronizava pagamentos, estoques, prazos etc. Ou seja, mantinha estrito controle sobre as terceirizadas.

Em seu impulso para a "desterritorialização", as empresas deslocaram a produção para as regiões em que prevalecem baixos salários, câmbio desvalorizado, baixa tributação. Nos quarenta anos de globalização, as empresas dos países centrais cuidaram de separar os componentes de sua atividade globalizada: a) Wall Street e a *City* londrina abrigam as 20 maiores instituições financeiras que "administram" os ativos globais; b) na China e adjacências, predomina a formação de nova capacidade produtiva; c) nos paraísos fiscais, a captura dos resultados.

LUIZ GONZAGA BELLUZZO; GABRIEL GALÍPOLO

O sistema financeiro também sofreu profundas transformações graças à globalização e à desregulamentação. Nas últimas décadas, as ondas de fusões e aquisições elevaram o grau de centralização: os vinte e cinco maiores bancos do mundo tinham 28% dos ativos dos mil maiores bancos em 1997; em 2009, mais de 45%. Dos US$ 4 trilhões de transações diárias com moedas, 52% delas são realizadas pelos cinco maiores bancos. No que tange aos bancos de investimento, os dez maiores concentram 53% das receitas. Baseados principalmente nos 10% mais ricos, que geram 80% de suas receitas, os bancos se conglomeraram e se tornaram verdadeiros supermercados financeiros, capazes de oferecer todo tipo de serviço financeiro a pessoas físicas e jurídicas. O setor financeiro também se destaca no que se refere ao gasto em P&D. O investimento em TI (*internet*, caixas eletrônicos, servidores) alcançou US$ 380 bilhões em 2006.

Foram os bancos, através das transações eletrônicas *on-line,* que permitiram a integração financeira das cadeias globais de valor. Os bancos são a cola do sistema ao fazer 95% de toda a movimentação financeira: transações cambiais, *hedge*, pagamentos, transações comerciais, investimentos.

No resto do sistema financeiro, o grau de concentração também mudou de escala: US$ 64 trilhões em 2010 estavam nas mãos dos gestores de ativos, sendo que os cinquenta maiores tinham 61% do total e o *BlackRock*, o maior, mais US$ 3,3 trilhões em ativos. Os fundos de investimento levaram a enorme centralização da propriedade, ao adquirem participação nos mais diversos negócios. Apenas com o intuito de que a administração se submeta à lógica do EBITDA, a da geração do máximo de caixa possível, e a busca incessante da valorização acionária.

O livro já mencionado de James Glattfelder, *Decoding Complexity: Uncovering Patterns in Economic Networks,* desvela a concomitância entre a constituição das cadeias globais de valor e a centralização do controle da produção e da riqueza em poucas grandes empresas e instituições da finança "mundializada": 36% das grandes transnacionais detêm 95% das receitas operacionais das 43.000 empresas transnacionais conhecidas. Mais importante: os 737 principais acionistas, instituições financeiras e fundos de investimento dos Estados Unidos e do Reino Unido podem controlar 80% do valor delas.

CAPÍTULO IV - KARL MARX, SOCIEDADE MODERNA E AUTONOMIA...

Claudio Serfati, amparado em pesquisa da UNCTAD, revela, ademais, que as empresas multinacionais controlam cerca de 80% do comércio internacional. Um terço das transações ocorrem no interior das firmas, isto é, entre as subsidiárias da mesma corporação. Um número muito reduzido de empresas tem grande participação nos gastos mundiais com *Pesquisa & Desenvolvimento* e na produção industrial. A estrutura e a conformação das Cadeias Globais de Valor são determinadas em grande medida pelas estratégias das Empresas Multinacionais.

É necessário, portanto, compreender as Cadeias Globais de Valor como espaços integrados, criados pela associação entre grupos financeiros e atividades manufatureira. Esses espaços são globais, porquanto descortinam horizontes estratégicos para a ampliação da valorização do capital em espaços que estão acima das fronteiras territoriais e da esfera jurídica sob controle dos Estados nacionais. São espaços integrados por centenas, até mesmo milhares de subsidiárias, no entrelaçamento contemporâneo entre a finança e a produção.

Em artigo recente, publicado na *Review of Political Economy*, o economista Cedric Durant identifica quatro narrativas que procuram explicar o encolhimento da relação entre lucros empresariais e investimento "produtivo".

As duas primeiras narrativas estão ligadas mais diretamente ao processo de financeirização: 1) a vingança dos rentistas obriga as empresas a realizarem pagamentos para os detentores de títulos de dívida e direitos de propriedade, o que reduz os recursos disponíveis para o investimento industrial; 2) a segunda narrativa sugere a substituição dos investimentos em ativos reais pela acumulação financeira de curto prazo. Cedric Durand registra uma mudança qualitativa nas estratégias recentes de gestão financeira das empresas: o declínio das taxas de juros propiciou o avanço dos pagamentos de dividendos exigidos pelos acionistas. A isso se junta as recompensas aos mesmos acionistas por ocasião das fusões e aquisições, além da recorrente e cada vez mais intensa recompra das próprias ações.

A terceira narrativa, da globalização, aborda os impactos da maior integração entre as economias. Nesse ambiente, as empresas dos países industrializados transferem os investimentos para as regiões de baixos custos da mão-de-obra às expensas do investimento nos países de origem.

A quarta narrativa, diz Durand, propõe estabelecer uma forte ligação entre a crescente concentração e centralização do controle das empresas, a monopolização dos mercados e a estagnação dos investimentos.

É um engano separar as quatro narrativas. Elas integram o mesmo processo de autotransformação do capitalismo. São dimensões da dinâmica autorreferencial do regime do Capital.

Em *O Capital* e nos *Grundrisse*, Marx elabora teoricamente a exasperação das formas desenvolvidas pela dialética da *abstração da riqueza* que levam ao limite as contradições do Regime do Capital. Isso permite a compreensão das conexões entre o sistema de crédito, a apropriação do conhecimento pelo *General Intellect*, a expansão do capital fictício – matriz do rentismo contemporâneo – e a queda, nos últimos quarenta anos, do investimento produtivo e da participação dos salários na renda agregada.

São íntimas as relações entre o avanço do sistema de crédito, do capital fixo e a dominância do capital fictício – títulos que representam direitos sobre a renda e a riqueza. O capital fictício é o *estoque* de certificados de propriedade (*equity*) e títulos de dívida (direitos à renda e à expropriação) gerados ao logo de vários ciclos de dinheiro de crédito e de criação de valor. A renda nacional é o fluxo, investimento, consumo, o próprio valor em movimento.

A "multiplicação" da riqueza no capitalismo corresponde à autonomização das formas particulares de existência do capital em sua trajetória de valorização – capital produtivo, capital-mercadoria e capital monetário. Nascidas da unidade de comando sobre a força-de-trabalho "livre", estas formas particulares passam a se contrapor umas às outras no metabolismo da acumulação de riqueza abstrata. O capital-monetário autonomizado, o capital a juros impulsiona o avanço da acumulação capitalista, mediante a expansão do crédito. Seu movimento cria um estoque de direitos de apropriação sobre a riqueza e a renda da sociedade cuja avaliação em mercados especializados passa a se contrapor ao processo de criação e de realização do valor na esfera produtiva.

CAPÍTULO IV - KARL MARX, SOCIEDADE MODERNA E AUTONOMIA...

Nos capítulos 28 e 30 do terceiro volume de *O Capital*, Marx estabelece as relações entre capital produtivo, capital monetário e crédito: "Os limites imanentes impostos à produção capitalista pelo desenvolvimento do capital são continuamente rompidos pelo sistema de crédito que acelera o desenvolvimento material das forças produtivas e a criação do mercado mundial, bases materiais para o advento de novas formas de produção. A dissolução das velhas formas também é impulsionada pelas crises ativadas pelo crédito".

Mais adiante: "Em nossa análise da forma peculiar da acumulação do capital monetário e da riqueza monetária em geral, vimos que ela se reduziu à acumulação de títulos de propriedade sobre o trabalho. A acumulação de capital da dívida pública revelou-se como sendo apenas um aumento na classe de credores do Estado, que detêm o privilégio de retirar antecipadamente para si certas somas sobre a massa de impostos públicos(...). Esses títulos de dívida que são emitidos sobre o capital originalmente emprestado e gasto há muito tempo, essas duplicatas de um capital já consumido, servem para seus possuidores como capital na medida em que são mercadorias que podem ser vendidas e, com isso, reconvertidas em capital (...). Ganhar ou perder em virtude de preços desses títulos de propriedade e de sua centralização nas mãos dos reis das ferrovias etc. converte-se cada vez mais em obra do acaso, que agora toma lugar do trabalho como modo original de aquisição da propriedade do capital, e também o lugar da violência direta. Esse tipo de riqueza monetária imaginária constitui uma parte considerável não só da riqueza monetária dos particulares, mas também, como já dissemos, do capital dos banqueiros".

As relações entre a "economia real" e a economia monetário-financeira não são de exterioridade, mas nascem das formas necessárias assumidas pelo capital em seu movimento de expansão e transformação permanentes. Aí estão inscritas a concentração e a centralização do controle do capital monetário em instituições de grande porte e cada vez mais interdependentes. O circuito "D-D" nasce das tendências centrais do regime do capital: um processo necessário e inexorável porque a acumulação capitalista é acumulação de riqueza abstrata.

Diz Marx nos *Grundrisse*: "O dinheiro é, portanto, não só um objeto, mas *o objeto* da sede de enriquecimento (...). A sede de prazeres em sua forma universal e a avareza são as duas formas particulares da avidez por dinheiro (...). A sede abstrata de prazeres torna efetivo o dinheiro em sua determinação de *representante material da riqueza*".

Na órbita monetário-financeira, diga-se, no espaço de avaliação e circulação dos direitos à riqueza e à renda futuras, o desenvolvimento capitalista colocou o sistema de crédito à disposição da expansão "autônoma" do capital fictício, matriz dos episódios especulativos e das crises de crédito.

As últimas quatro décadas presenciaram mudanças importantes na esfera financeira do capitalismo global. As funções dos bancos tradicionais passaram progressivamente para os novos mercados ocupados pelos *bancos-sombra*. A velha prática bancária de criar empréstimos para gerar depósitos foi substituída pela securitização de ativos e passivos. Os depósitos à vista perderam participação nos passivos bancários. As grandes instituições construíram uma teia de relações de débito-crédito entre bancos de depósito, bancos de investimento e bancos-sombra.

A chamada desregulamentação financeira mostrou de forma cabal como a "natureza" intrinsecamente especulativa do capital fictício se apoderou da gestão empresarial, impondo práticas destinadas a aumentar a participação dos ativos financeiros na composição do patrimônio, inflar o valor desses ativos e conferir maior poder aos acionistas. A lógica dos estoques passou a comandar o movimento das economias globalizadas.

No livro *Darkness by Design*, publicado recentemente, Walter Mattli desvenda as relações de poder nos mercados financeiros: "Elas são centrais para explicar o funcionamento dos mercados, quer no sentido da política como meio de determinar ganhadores e perdedores, quer na acepção mais geral dos mercados como instituições essencialmente políticas, nas quais as relações de poder são fundamentais".

Já mencionamos acima as implicações da "nova finança" sobre a governança corporativa e a estratégia das grandes empresas globais. A

CAPÍTULO IV - KARL MARX, SOCIEDADE MODERNA E AUTONOMIA...

dominância da "criação de valor" na esfera financeira expressa o *poder* do acionista, agora reforçado pela nova modalidade de remuneração dos administradores, efetivada mediante o exercício de opções de compra das ações da empresa. Professor da Universidade de Singapura, Jang-Sup Shin investigou o predomínio crescente, agora avassalador, do assim chamado "valor do acionista" na definição das estratégias empresariais nos Estados Unidos.

A expressão "valor do acionista" sintetiza o conjunto práticas de gestão empresarial que buscam maximizar a *extração de valor de um ativo já existente*, um estoque, em detrimento do fluxo de *criação de valor* mediante o investimento em um novo ativo reprodutivo. Shin observa que, ao longo das últimas três décadas, as mudanças regulatórias promovidas pela administração Clinton ensejaram a desabusada incidência de práticas predatórias de extração de valor na economia americana: "As grandes corporações pagaram com regularidade aos acionistas a integralidade dos lucros acumulados. Frequentemente, desembolsaram ainda mais, sob a forma de recompra das próprias ações e distribuição de dividendos, enquanto reduzem o investimento e promovem restruturações redutoras de custos".

É impressionante evolução da *saída líquida* de recursos das grandes empresas para remunerar os acionistas e recomprar as próprias ações. No período 1976-1985 as transferências de valor para os acionistas chegaram a US$ 290 bilhões (0,4% do PIB). Entre 1986 e 1995 alcançaram a casa dos trilhões, 1,002.5 (1% do PIB). O valor chegou a US$ 1,54, 4 trilhões (1,9% do PIB) entre 1996-2005, para atingir US$ 4,46 tr (2,6% do PIB) no período 2006-2015.

Inverteu-se a relação entre os recursos destinados ao investimento e aqueles utilizados para propiciar a elevação "solidária" dos ganhos dos acionistas e a remuneração dos administradores (*stock options*). A associação de interesses entre gestores e acionistas estimulou a compra das ações das próprias empresas com o propósito de valorizá-las e favorecer a distribuição de dividendos. A isso se juntam a febre das fusões e aquisições, o planejamento tributário nos paraísos fiscais, o afogadilho das demonstrações trimestrais de resultados e as aflições das tesourarias de empresas e bancos açoitadas com o guante da marcação a mercado.

Não há como discordar de Jurgen Kocka em seu livro *Capitalism*. A lógica dos mercados de capitais penetrou de forma mais direta na estratégia das empresas, diferentemente dos padrões do "capitalismo dos gerentes" que prevaleceu até os anos 70 do século XX. O mercado de capitais tornou-se mais ubíquo e compulsivo, estreitando o raio de manobra das empresas. As empresas estão mais parecidas umas com as outras e, até mesmo no capitalismo alemão, a influência dos bancos está diminuindo. Isto significa que se acentuou o controle dos mercados de capitais e de suas regras sobre as estratégias empresariais. Os representantes dos fundos exercem rígido controle sobre os resultados financeiros e são eles mesmos controlados pela ditadura dos resultados trimestrais que informam os analistas de mercado encarregados de classificar as ações das companhias listadas nas bolsas de valores. Nos anos 1960, um investidor carregava seu portfólio de ações por nove ou dez anos. Hoje, o prazo médio é um ano.

Kocka acentua a mudança profunda no capitalismo promovida pela expansão das novas formas financeiras ao longo das últimas décadas: "A diferenciação funcional avançou significativamente: as decisões de mobilizar capital e investir foram separadas de forma ainda mais aguda das demais dimensões das empresas líderes".

TABELA 1
EMPRESAS AMERICANAS: RECOMPRA DE AÇÕES (BB)- DIVIDENDOS (DV) COMO PROPORÇÃO DA RECEITA LÍQUIDA (NI) – 2006-2015

Ranking	Nome	NI, US$, bi	BB US$, bi	DV US$, bi	BB / NI %	DV / NI %	(DV + BB) / NI %
1	EXXON MOBIL	349	206	93	59	27	86
2	MICROSOF	174	124	58	71	33	105
3	IBM	135	119	33	89	24	113
4	APPLE	228	103	36	45	16	61
5	PROCTER & GAMBLE	105	72	56	69	53	122
6	CISCO SYSTEMS	76	67	13	88	17	105
7	HEWLETT-PACKARD	47	63	9	134	20	154
8	PFIZER	90	63	68	70	76	146
9	WAL-MART	152	61	48	40	31	71
10	ORACLE	81	57	12	71	15	86
11	INTEL	90	54	37	60	41	101
12	GENERAL ELETRIC	149	52	88	35	59	94
13	HOME DEPOT	45	50	19	111	42	153
14	GOLDMAN SACHS	80	49	14	62	18	80
15	AT&T	115	47	93	41	81	122
16	DISNEY (WALT)	55	46	11	83	20	103
17	TIME WARNER	18	44	10	250	56	305
18	JOHNSON & JOHNSON	126	42	61	34	49	82
19	WELLS FARGO	149	41	49	28	33	61
20	JP MORGAN CHASE	166	41	51	25	31	55
21	CHEVRON	188	40	62	21	33	54
22	AIG	-35	36	7	-103	-20	-123
23	CONOCOPHILLIPS	60	36	31	61	52	113
24	PEPSICO	60	36	30	59	50	109
25	MC DONALD'S	45	33	25	74	55	129

FONTE: Lazonick, William – Profits Without Prosperity: How Stock Buybacks Manipulate the Market, and Leave Most Americans Worse Off – University of Massachusetts Lowell-2014.

LUIZ GONZAGA BELLUZZO; GABRIEL GALÍPOLO

Ao registrar as transformações na vida social e econômica produzidas pelo movimento incessante de criação de riqueza, Marx observou: "O sistema de crédito torna absurda a frase segundo a qual o capital nasce da poupança, pois o que o especulador espera é que outros poupem para ele (...). A outra frase, a da abstinência, recebe um bofetão na cara, pois o luxo é convertido também em instrumento de crédito (...). Ideias que tinham alguma justificativa, em fases menos desenvolvidas da produção capitalista, perdem toda a razão de ser".

Marx definiu o capitalismo a partir da tendência incontrolável do capital-dinheiro em dobrar-se sobre si mesmo, a ânsia de desvencilhar o enriquecimento privado das limitações impostas pela produção material. Esta metamorfose fantástica do capital está se realizando sob os nossos olhos, nos mercados financeiros contemporâneos. Não se trata de uma deformação, mas do *aperfeiçoamento*, da exasperação da forma-valor. Pressuposto e resultado do processo de acumulação de riqueza abstrata, o capital empenha-se permanentemente em reduzir os tempos de produção e circulação das mercadorias e serviços.

Em seu livro *Banking on Words,* o antropólogo Arjun Appadurai reproduz uma visão, tão comum quanto equivocada, do Regime do Capital de Karl Marx, ancorado na acumulação de riqueza abstrata: "Ainda que Marx tivesse um profundo interesse no modo de investimento capitalista e nas formas misteriosas que ensejam a produção do dinheiro pelo dinheiro, ele não nos ofereceu uma pista mais fácil para a compreensão do capitalismo financeirizado, no qual a produção do dinheiro pelo dinheiro é a forma dominante". Apparudai atribui a Marx a problemática de Piero Sraffa, "a produção de mercadorias por meio de mercadorias".

Dinheiro que produz diretamente mais dinheiro é o processo do capital em estado puro, cada vez mais livre da materialidade do mundo concreto do trabalho. Por isso é preciso reduzir o tempo de trabalho, inovar para bater a concorrência, tentar ganhar a dianteira sempre, porque é impossível mantê-la. Daí a exigência de não apenas superar, mas de esmagar o concorrente, aniquilar suas forças ou absorvê-lo para ganhar uma participação crescente no estoque de riqueza intangível e fugaz que obriga a querer mais e mais.

CAPÍTULO IV - KARL MARX, SOCIEDADE MODERNA E AUTONOMIA...

No último ciclo de exuberância financeira, que culminou na crise de 2008, o sistema de crédito globalizado abusou das técnicas de alavancagem com o propósito de elevar os rendimentos das carteiras em um ambiente de taxas de juros reduzidas. Isso favoreceu a concentração da massa de ativos mobiliários em um número reduzido de instituições financeiras grandes demais para falir. Os administradores dessas instituições ganharam poder na definição de estratégias de utilização das "poupanças" das famílias e dos lucros acumulados pelas empresas, assim como no direcionamento do crédito.

Na esfera internacional, a abertura das contas de capital suscitou a disseminação dos regimes de taxas de câmbio flutuantes, que ampliaram o papel de "ativos financeiros" das moedas nacionais, em detrimento de sua dimensão de preço relativo entre importações e exportações.

Na esteira da liberalização das contas de capital e da desregulamentação, as grandes instituições construíram uma teia de relações "internacionalizadas" de débito-crédito entre bancos de depósito, bancos de investimento e investidores institucionais. O avanço dessas inter-relações foi respaldado pela expansão do mercado interbancário global e pelo aperfeiçoamento dos sistemas de pagamentos. Os bancos de investimento e os demais bancos-sombra aproximaram-se das funções monetárias dos bancos comerciais, abastecendo seus passivos nos "mercados atacadistas de dinheiro" (*wholesale money markets*), amparados nas aplicações de curto prazo de empresas e de famílias. Não por acaso, nos anos 2000 a dívida intra-financeira como proporção do PIB americano cresceu mais rapidamente do que o endividamento das famílias e das empresas. A "endogeinização" da criação monetária mediante a expansão do crédito chegou à perfeição em suas relações com o crescimento do estoque de quase-moedas abrigado nos *money markets funds*.

A metamorfose da riqueza capitalista confirmou as conclusões de Keynes a respeito do vício da liquidez que contamina os mercados financeiros de todos os tempos, mas que, hoje, infectam o organismo da economia global com uma virulência inaudita. Enquanto dura, a liquidez dos mercados permite a constante reestruturação das carteiras pelos administradores dos fundos financeiros "coletivizados".

Liquidez de um ativo é definida a partir de sua negociabilidade em mercados organizados, mediante pré-aviso, sem perda de valor. O FMI considera que o agregado monetário amplo deve incluir os candidatos a desempenhar o papel de dinheiro: papel-moeda, títulos da dívida pública, depósitos à vista mobilizados mediante cheque, depósitos de poupança, depósitos a prazo, operações compromissadas (*repos*), fundos de curto prazo nos mercados monetários.

Em artigo publicado na *New Left Review*, o sociólogo e economista Wolfgang Streeck mostra que, desde 1970, a oferta monetária global avaliada pelos critérios do agregado monetário amplo (M1, M2, M3) cresceu a um ritmo muito mais rápido do que o PIB mundial.

O estoque de ativos financeiros líquidos, ou seja, ativos que poderiam ser rapidamente convertidos para as funções monetárias, foram estimados em 59% do PIB global em 1970. Passaram a 104% em 2000 e a 125% em 2015. A dívida pública e privada cresceu na mesma proporção: avançou de 246% do PIB global em 2000 para 321% em 2016.

4.1.4 Capital Fixo, Mercado de Trabalho e Produtividade

No relatório *Compendium of Productivity Indicators 2018*, a OCDE investiga o paradoxo da produtividade: "A despeito da retomada do crescimento na maioria dos países da OCDE, o maior peso de empregos de baixa produtividade reduziu os salários reais na economia como um todo".

A aceleração do progresso tecnológico desloca um contingente significativo de trabalhadores para atividades de baixa qualificação, o que deprime a produtividade e a capacidade de consumo dos trabalhadores submetidos ao emprego precário e intermitente. Em seu rastro de vitórias, as legiões da riqueza abstrata deixam uma procissão de desgraças: o desemprego, a crescente insegurança e precariedade das novas formas de ocupação, a queda dos salários reais, a exclusão social.

O avanço da relação entre as formas de valorização impõe a redução acelerada dos tempos de produção, de rotação e de circulação

CAPÍTULO IV - KARL MARX, SOCIEDADE MODERNA E AUTONOMIA...

do capital promovida pelo avanço das novas tecnologias. O encolhimento do tempo de trabalho e a destruição do espaço ampliam os resultados apropriados pelo capital, hoje encarnado na grande empresa monopolista e globalizada.

No livro *Phenomenology of The End*, Franco Bifo Berardi desvenda nessas transformações a realização do processo de abstração real: "A economia territorial da burguesia estava ancorada na dureza material do ferro e do aço, já em nossa era a economia está baseada no caleidoscópio da engrenagem semiótica à margem dos territórios: as mercadorias que circulam no espaço econômico são signos, cifras, imagens, projeções e expectativas. A especulação e o espetáculo se misturam na natureza intrinsecamente inflacionária e metafórica linguagem".

Berardi avalia as consequências desse processo de abstração real para os trabalhadores do *General Intellect*: "O Capital deixou de alugar a força de trabalho das pessoas, mas compra ´pacotes de tempo` separados de seus proprietários ocasionais e intercambiáveis. O tempo despersonalizado tornou-se o agente real do processo de valorização e o tempo despersonalizado não tem direitos, nem demandas. Apenas deve estar disponível ou indisponível, mas essa alternativa é meramente teórica porque o corpo físico, a despeito de desconsiderado juridicamente, ainda tem que se alimentar e pagar aluguel".

Aponta ainda Bifo Berardi para o fenômeno do surgimento e da multiplicação das chamadas plataformas digitais. Hoje elas invadem o espaço ocupado pelo comércio, pela finança, pelos serviços, pela publicidade e pela produção.

As empresas de plataforma têm um papel cada vez mais importante nas economias contemporâneas. Além dos gigantes numéricos, como Google, Apple, Facebook, Amazon e Microsoft, as plataformas ocupam outros setores como finança, hotelaria, transportes, comercialização e distribuição de mercadorias, entrega de comida a domicílio.

Outrora apoiado em edificações distribuídas pelos espaços físicos nas cidades e arredores, o comércio – atacado e varejo –, baseado no contato pessoal entre funcionários, vendedores e clientes, vem sendo substituído pelo *e-commerce* que coloca os clientes em contato direto com as mercadorias. Estão em risco as cadeias de lojas distribuídas pelo espaço urbano, os *shopping centers*, restaurantes, casas de entretenimento.

Os bancos e as demais instituições financeiras reduzem as agências e os serviços prestados pessoalmente por gerentes e funcionários. Os serviços bancários são terceirizados para agentes autônomos, sem relações de trabalho formais com as plataformas que funcionam como um centro de controle das atividades. Ao contrário do que sugerem a versões disseminadas pelo senso comum, essas plataformas facilitam a concentração bancária. São transformadas em braços mercantis das grandes instituições financeiras. As chamadas *fintechs* apresentadas como um avanço para a maior competitividade se transformam, na verdade, em operadoras das grandes instituições bancárias e financeiras.

Os trabalhadores autônomos, empreendedores de si mesmos, assumem os riscos da atividade – investimento, clientela – mas estão submetidos ao controle da plataforma na fixação de preços e repartição dos resultados. Essa organização do trabalho foi predominante nos primórdios do capitalismo manufatureiro da era mercantilista, sob a forma do *putting-out system*. Os comerciantes forneciam a matéria prima para os artesãos "autônomos" que estavam obrigados a entregar o produto manufaturado em determinado período de tempo.

O capitalismo das plataformas, criação do *General Intellect*, transforma a possibilidade do tempo livre na ampliação das horas trabalhadas, na intensificação do trabalho, na precarização e no empobrecimento do óleo queimado que sobrevive na bolha cada vez mais inflada dos trabalhadores em tempo parcial.

Ao longo de seu predomínio pós-fordista, como já perscrutou Michel Foucault, o "poder enformador da sociedade" redefiniu os indivíduos-sujeitos. Os valores da livre-concorrência transformaram todos e cada um em "empreendedores de si mesmos", proprietários, sim, do seu "capital humano". Na realidade real, cultivado com os empenhos da educação e da formação profissional, o estoque de capital humano sofre forte desvalorização nos mercados de trabalho contaminados pela precarização

CAPÍTULO IV - KARL MARX, SOCIEDADE MODERNA E AUTONOMIA...

e pelo empreendedorismo das plataformas, pela continuada perda da segurança outrora proporcionada pelos direitos sociais e econômicos.

A economia compartilhada é uma fraude, recentemente escancarada pelas greves dos motoristas do Uber ou pela recente formação do Sindicato Internacional de Entregadores de *fast-food*, massacrados em seus direitos e seus rendimentos pelas manobras do "aplicativo".

Agora em escombros, as classes médias, sobretudo nos Estados Unidos, mas também na Europa, ziguezagueiam entre os fetiches do individualismo e as realidades cruéis do declínio social e econômico. A individualização do fracasso já não consegue ocultar o destino comum reservado aos derrotados pela desordem do sistema social.

Na outra ponta do espectro econômico, a rápida expansão dos rendimentos derivados da *propriedade de ativos tangíveis e intangíveis* demonstra que o avanço do patrimonialismo capitalista não é uma deformação desse regime de acumulação e apropriação da renda e da riqueza, senão a expressão necessária de sua dinâmica contraditória.

A acumulação de capital propriedade assume a sua forma mais avançada e abstrata no capital fictício. A acumulação de mais dinheiro mediante o uso do dinheiro para capturar mais valor sob a forma monetária culmina nas formas "desenvolvidas" do capital fixo sob a forma da automação contida nas potencialidades do sistema de máquinas, do capital a juros, do dinheiro de crédito e do capital fictício. Nessas formas, o capital realiza o seu conceito de *valor que se valoriza* e ensaia acrescentar seu valor com a desvalorização da mercadoria força de trabalho. O circuito D-M-D' avança suas tendências para se converter em D-D'.

A financeirização não é uma deformação do capitalismo, mas um "aperfeiçoamento" de sua natureza. Aperfeiçoamento que exaspera o seu movimento contraditório: na incessante busca da "perfeição", ou seja, a acumulação de dinheiro a partir do dinheiro, o regime do capital excita as esperanças do capital e destrói as realidades dos submetidos à sua lógica implacável.

Bifo Berardi cuida das relações entre capital fixo e financeirização: "Em suas etapas mais recentes, a produção capitalista reduziu a importância da transformação física da matéria e a manufatura física de bens industriais, ao propiciar a acumulação de capital mediante a combinação entre as tecnologias de informação e a manipulação das abstrações da riqueza financeira. A informação e a manipulação da abstração financeira na esfera da produção capitalista tornam a visibilidade física do valor de uso apenas uma introdução na sagrada esfera abstrata do valor de troca".

Dissipam-se as fronteiras entre a economia real, aquela "produtiva" e a economia dita "improdutiva" e parasitária da finança. A inteligência artificial, a *internet* das coisas, a robotização são incansáveis em sua faina de metamorfosear a materialidade da produção na imaterialidade das formas financeiras, tornando visível e quase palpável, o processo que Karl Marx chamou de *abstração real*. É um equívoco investigar esse processo de abstração real como a *oposição* entre duas formas do capital: 1) o capital produtivo em que homens e máquinas se combinam para a produção de mais valor; e 2) o capital "improdutivo" que não produz mercadorias, mas gera rendimentos "fictícios" para seus proprietários. Cabe esclarecer que, na construção de O *Capital*, essas formas não são *opostas*, senão *contraditórias*, isto é, desenvolvem-se como dimensões do processo de valorização que subordina a produção dos meios materiais para a satisfação das necessidades ao império da acumulação de riqueza abstrata.

Na financeirização entendida como uma dimensão inescapável do regime do capital, o processo de valorização aparece sob a roupagem dos *ganhos de capital,* juros e dividendos. Marx afirma que essas formas aparenciais são *formas ilusórias* que ocultam as relações de classe desse modo de produção. Ao mesmo tempo, são *formas necessárias*, enquanto expressões dessas relações "transformadas" pelo avanço do processo de abstração real que se realiza sob o comando da acumulação de riqueza monetária.

Os juros e os dividendos aparecem como formas de remuneração do capital *sans phrase* e sua formação nos mercados de riqueza mobiliária depende da demanda e oferta de capital dinheiro transfigurado na forma de capital a juros, capital-propriedade. Essa é a forma mais abstrata de existência do capital, a sua forma "verdadeira", no sentido de que é a mais desenvolvida. Em *Teorias da mais valia*, diz Marx: "É evidente que no capital a juros, o capital se completa como fonte misteriosa e auto criativa de seu próprio acrescentamento (....). É o capital *par excellence*".

CAPÍTULO IV - KARL MARX, SOCIEDADE MODERNA E AUTONOMIA...

Schumpeter deplorava que a ordem criada pelo capitalismo individualista pudesse ser devastada pela força avassaladora do progresso capitalista. "Assim", dizia ele, "a evolução capitalista arrasta para o fundo todas as instituições, especialmente a propriedade e a liberalidade de corporação, que responderiam às necessidades e às práticas de uma atividade econômica verdadeiramente privada". A grande corporação, o proprietário de ações e a importância cada vez maior dos mercados em que circulavam os direitos de propriedade, os mercados financeiros, significavam a desmaterialização da propriedade, sua despersonalização. "O possuidor de um título abstrato perde a vontade de combater, econômica, física e politicamente, por sua fábrica e pelo domínio direto sobre ela, até a morte se for preciso". O capítulo XII de *Capitalismo, Socialismo y Democracia* arrisca uma previsão sobre os destinos da ordem capitalista fundada na iniciativa individual: "Não sobrará ninguém que se preocupe em defendê-la". Enganou-se: é cada vez maior a força das grandes estruturas capitalistas e de seus métodos de controle na moldagem subjetiva dos indivíduos.

A preeminência do *General Intellect* acentua os desequilíbrios que a propriedade da riqueza impõe à apropriação do valor. A produção de conhecimento, crescentemente coletivizada nos formidáveis aparatos da ciência e da inovação, é apropriada pelos detentores dos direitos sobre os ativos imateriais.

Os resultados dos Sistemas de Pesquisa financiados e garantidos pelo Estado são apropriados privadamente pelas grandes corporações globalizadas nas patentes reguladas pelas leis de propriedade intelectual.

Ao examinar essas relações nos Estados Unidos, Mariana Mazzucato desmascara o mito dos "gênios da garagem" e reduz a pó as lendas marqueteiras que celebram o papel do venture capital. Mazzucato descreve minuciosamente o roteiro para o sucesso da Apple de Steve Jobs e seus *iPads* e *iPods*. A ação do Estado não só garantiu o abastecimento do capital paciente e capaz de encarar os enormes riscos da inovação, mas também ajudou a coordenar as relações entre a grande empresa integradora e seus fornecedores.

Marx vislumbrou o rápido encolhimento do tempo de trabalho socialmente necessário como possibilidade inscrita no predomínio do

General Intellect e no consequente avanço do capital fixo. O regime do capital cria as condições para entregar aos homens e mulheres os benefícios do tempo livre e da abundância de valores de uso.

4.1.5 Apropriação Rentista e Consumismo

O tempo livre que escorre da aceleração da produtividade social do trabalho é capturado privadamente pelas formas mais avançadas do capital-propriedade. Submetida aos constrangimentos das relações de propriedade e de consumo capitalistas, essa abundância potencial se transforma em escassez: de um lado, regime do capital desenvolve consumismo, a produção ilimitada de "necessidades"; de outra parte, a capacidade elástica de criação monetária do sistema de crédito sustenta simultaneamente o endividamento das famílias e a valorização do capital fictício.

No capitalismo de hoje, a diferenciação do consumo e sua massificação tornaram-se cruciais para as perspectivas de crescimento das economias. Não se trata apenas, como já dissemos, da completa sujeição das "necessidades" aos imperativos da mercantilização universal. No capitalismo avançado, os ganhos propiciados pela valorização da riqueza financeira dos mais abastados sustentam o seu consumo conspícuo e, simultaneamente, facilitam o crédito barato aos consumidores menos afortunados. O circuito valorização da riqueza – diferenciação do consumo dos ricos "obriga" as famílias de renda média e baixa a comprometer uma fração crescente de sua renda com o endividamento no afã de acompanhar novos padrões de consumo.

Não custa repetir: no mundo em que mandam os mercados da riqueza, os vencedores e perdedores se dividem em duas categorias sociais: os que, ao acumular capital financeiro, gozam de "tempo livre" e do "consumo de luxo"; os que se tornam dependentes crônicos da obsessão consumista e do endividamento estão permanentemente ameaçados pelo desemprego e, portanto, obrigados a competir desesperadamente pela sobrevivência. Esses controles suaves e despóticos foram se apoderando das mentes e das almas e apresentados como a prova da soberania do indivíduo.

CAPÍTULO IV - KARL MARX, SOCIEDADE MODERNA E AUTONOMIA...

Diante do espetáculo do consumismo galopante, alguns decretam a morte do sujeito moderno, aquele consciente de sua liberdade, empenhado na preservação de sua autonomia. Ele foi substituído pela concepção psicológica de um *indivíduo depressivo* que foge de seu inconsciente, preocupado em retirar de si a essência de todo o conflito.

Os trabalhos de destruição da subjetividade moderna são realizados por uma sociedade que precisa exaltar o sucesso econômico e abolir o conflito. Os males do mundo podem ser solucionados com doses maciças de consumo ou de *Prozac* ou de qualquer objeto capaz de aliviar o sofrimento.

A pressão competitivo-aquisitiva desencadeia transtornos psíquicos nos indivíduos-consumidores. Nesse ambiente competitivo, as vítimas das promessas irrealizadas de felicidade e segurança assestam seus ressentimentos contra os "inimigos" imaginários produtores do seu desencanto.

Essa curiosa "psicologização" da existência, diz Elisabeth Roudinesco, avassalou a sociedade e contribuiu para o avanço da despolitização, filha dileta do que Michel Foucault e Gilles Deleuze chamaram de "pequeno fascismo da vida cotidiana", praticado e celebrado pelo indivíduo ressentido, ao mesmo tempo protagonista e vítima de um processo social que ele não compreende. O pequeno fascismo desliza sorrateiro para a alma de cada indivíduo, sem ser percebido, ainda que continue a simular a defesa dos sacrossantos princípios dos direitos do homem, do humanismo e da democracia.

Criado pelo avanço do capital fixo, o "tempo livre" é dissipado na incessante criação de "novas necessidades" e apropriado nas caixas-fortes do capital fictício – títulos financeiros que conferem direitos sobre a riqueza e a renda futuras. Assim, o Regime do Capital engendra simultaneamente o avanço do *rentismo,* a subjugação consumista nas algemas do endividamento e a concentração da renda e da riqueza, criaturas das formas produtivas e financeiras que assumiram o comando das economias contemporâneas.

O processo de valorização do capital libera tempo de trabalho socialmente necessário, mas o valor criado é enclausurado nos grilhões do capital fictício, a forma mais avançada e abstrata do capital-propriedade. Não se trata de uma apropriação que favorece os direitos de uns em detrimento de outros. Muito ao contrário, a apropriação do tempo livre pelo capital-propriedade respeita rigorosamente os fundamentos jurídicos da ordem capitalista, a propriedade privada e o contrato.

A práticas financeiras, a globalização produtiva e as inovações tecnológicas que sustentam a competitividade da grande empresa globalizada detonaram um terremoto nos mercados de trabalho. A migração das empresas para as regiões onde prevalece uma relação mais favorável entre produtividade e salários associou-se à rapidez das inovações tecnológicas e ao controle do capital fictício para enfraquecer o poder de negociação dos sindicatos e o número de sindicalizados.

A migração das empresas para países "mais baratos" desatou a "arbitragem" com os custos salariais e a "flexibilização" das relações de trabalho imposta pela automação na indústria e nos serviços. A flexibilização subordinou o crescimento ou manutenção da renda das famílias às incertezas do trabalho intermitente. Assim, a grande empresa contemporânea move a economia capitalista na direção da concentração da riqueza e da renda, falhando em sua capacidade de gerar empregos, de oferecer segurança aos que consegue empregar ou de alentar os empregados com perspectivas melhores.

O terremoto nos mercados de trabalho se associa à "geração de valor" para os acionistas e acirra a concorrência entre as empresas na busca de ganhos especulativos de curto prazo. Em sua "racionalidade" microeconômica, a empresa se confronta com seu trabalhador como produtor e não como consumidor. Assim, deseja limitar ao máximo sua despesa com salário e, consequentemente, seu consumo. Naturalmente, o empresário também deseja que os trabalhadores empregados por outros sejam os maiores consumidores possíveis de sua mercadoria.

O tempo livre se apresenta para os vitimados pelo esgarçamento das relações de assalariamento como desocupação, precarização para uns e na intensificação do trabalho para os empregados nas atividades

CAPÍTULO IV - KARL MARX, SOCIEDADE MODERNA E AUTONOMIA...

high-tech. O processo que submete a *criação de valor* à *extração de valor* impulsiona o crescimento dos trabalhadores em tempo parcial e a título precário, sobretudo nos serviços, e é escoltado pela destruição dos postos de trabalho mais qualificados na indústria. O inchaço do subemprego e da precarização endureceu as condições de vida do trabalhador. A evolução do regime do *precariado* constituiu relações de subordinação dos trabalhadores dos serviços, independentemente da qualificação, sob as práticas da flexibilidade do horário, que tornam o trabalhador permanentemente disponível.

Na nova economia "compartilhada", "do bico", ou "irregular", o resultado é a incerteza a respeito dos rendimentos e das horas de trabalho. Esta é a mudança mais importante na força de trabalho americana ao longo de um século e ocorre à velocidade da luz. Algumas projeções estimam que, nos próximos cinco anos, mais de 40% da força de trabalho americana estará submetida a um emprego precário.

No livro *The Jobless Future*, Stanley Aronowitz estuda as transformações no mercado de trabalho e estabelece a distinção entre trabalho e emprego. O trabalho para os remanescentes torna-se mais duro e exigente e desaparecem os empregos seguros, de longo prazo. Estão em extinção os empregos que proporcionam aposentadorias e pensões, seguro-saúde e outros. Com esses "privilégios", vai de embrulho a esperança de uma remuneração mais generosa na medida em que o trabalhador avança na carreira.

Guy Standing, autor de livros e artigos importantes sobre o surgimento do precariado, faz uma distinção crucial entre a habitual insegurança dos assalariados e o surgimento de uma nova categoria de trabalhadores. Standing afirma que a falta de segurança no trabalho sempre existiu. Mas não é a insegurança que define o precariado. "Os integrantes desse grupo estão sujeitos a pressões que os habituaram à instabilidade em seus empregos e suas vidas".

De forma ainda mais significativa, não possuem qualquer identidade ocupacional ou narrativa de desenvolvimento profissional. E, ao contrário do antigo proletariado, ou dos assalariados que estão acima no *ranking* socioeconômico, o precariado está sujeito à exploração e diversas formas de opressão por se encontrar fora do mercado de trabalho formalmente remunerado.

O que distingue o precariado é a sua trajetória de perda de direitos civis, culturais, políticos, sociais e econômicos. Não possuem os direitos integrais dos cidadãos que os cercam, estão reduzidos à condição de suplicantes, próximos da mendicância, dependentes das decisões de burocratas, instituições de caridade e outros que detêm o poder econômico.

O problema é, principalmente, o da insegurança na remuneração. Se houvesse políticas sensíveis para garanti-la, como por meio de uma renda mínima, poderíamos aceitar a insegurança no emprego. A insegurança ocupacional é de outra natureza, já que buscamos desenvolver uma identidade ocupacional, e muitos gostariam de fazer o mesmo.

4.1.6 Poder de Mercado, Rentismo e Austeridade

O nobelizado Joseph Stiglitz publicou na revista *The Nation* um artigo devastador para as presunções e chicanas dos fâmulos dos mercados. Stiglitz vai direto ao ponto: "Nas últimas quatro décadas, a teoria econômica gastou argumentos para difundir a crença que alguma variante do modelo competitivo de equilíbrio geral fornecia uma boa, ou pelo menos adequada, descrição de nosso sistema econômico. Mas, se começamos com o óbvio, aquilo que observamos em nosso quotidiano, a realidade mostra que nossa economia é marcada, em todos os setores da indústria, por grandes concentrações de poder de mercado".

A crescente centralização do poder em grandes blocos corporativo-financeiros impulsionou a concentração da riqueza e na renda, tal como revelam os estudos da Oxfam e até mesmo do FMI. Stiglitz admite que seus trabalhos anteriores subestimaram a importância das transformações ocorridas nos últimos 40 anos. Entre elas sobressai a progressiva desproporção entre o avanço das rendas da propriedade e o desenvolvimento do capital produtivo. A celebração da capacidade de inovação e de empreendedorismo da economia americana esconde o apodrecimento dos "espíritos animais inovadores" sob a pátina dos monopólios da propriedade intelectual e da

CAPÍTULO IV - KARL MARX, SOCIEDADE MODERNA E AUTONOMIA...

acumulação de riqueza financeira. "A riqueza originada da apropriação rentista, que vou chamar de renda-riqueza, constrange e expulsa a formação de capital (produtivo). A fraqueza da formação de capital no período recente está relacionada com o crescimento do rentismo da renda-riqueza, o que levou à estagnação econômica. Ainda mais grave, o poder de mercado foi utilizado para prejudicar a inovação: há evidencia de um declínio acentuado no ritmo de criação de novas firmas inovadoras".

Os ganhos de produtividade gerados pelas novas tecnologias estão escondidos nos calabouços construídos pelo poder de mercado das grandes empresas que se apropriam do valor criado: as poderosas sobem as margens de lucro e destinam seus ganhos parrudos à recompra das próprias ações e ao pagamento de dividendos. Os salários modorrentos, a letargia do investimento empresarial, a "geração de valor" para os acionistas e a aflitiva concorrência pela busca de resultados a curto prazo espelham o poder de monopólio das grandes empresas.

Em 2018, no encontro patrocinado pelo Federal Reserve em Jackson Hole, o economista da *Sloan Management School*, John Van Reenen observou que as grandes empresas se entregaram à disputa em busca do prêmio "o vencedor leva tudo ou quase tudo", devido à globalização e às novas tecnologias.

As mudanças na composição da riqueza e as transformações nas estratégias das empresas explicam a combinação entre as políticas econômicas de austeridade e a sanha das privatizações de bens públicos, sobretudo os chamados monopólios naturais. O rentismo exercita seus propósitos ao se beneficiar de um ativo já existente e gerador de renda monopolista, criado com dinheiro público. A onda de privatizações obedece à lógica patrimonialista e rentista do moderno capital financeiro, em seu furor de aquisições de ativos já existentes. Nada tem a ver com a qualidade dos serviços prestados, mesmo porque os exemplos são péssimos. Em geral, no mundo, a qualidade dos serviços prestados pelas empresas privatizadas declinou acompanhando o aumento de tarifas e a deterioração dos trabalhos de manutenção.

A liberalização da finança e a dominância do rentismo também produziram efeitos negativos nas finanças públicas. Primeiro, estimularam a multiplicação dos paraísos fiscais. A fuga sistemática das obrigações fiscais foi acompanhada da crescente regressividade dos sistemas de tributação.

Em artigo publicado pela NBER, *Who owns the wealth in tax havens? Macro evidence and implications for global inequality,* Gabriel Zucman avalia o papel dos paraísos fiscais na distribuição da riqueza e da renda: "As recentes estatísticas macroeconômicas estimam o valor da riqueza financeira de cada país abrigada nos paraísos fiscais. O equivalente a 10% do PIB global está em paraísos fiscais, mas essa média esconde uma enorme heterogeneidade. A Escandinávia tem uma baixíssima participação. Enquanto a Europa registra 15% do PIB de recursos surrupiados aos Tesouros nacionais, nações do Golfo acompanham alguns países América Latina que escondem 60% do PIB nos paraísos fiscais. Utilizamos esses dados para construir novas séries sobre a concentração da riqueza em dez países. Como a riqueza escondida nos paraísos fiscais é muito concentrada, a participação dos 0,01% mais ricos aumentou em todas as regiões".

A predominância dos impostos indiretos conferiu maior sensibilidade das receitas fiscais às flutuações da economia. Os sistemas fiscais tornaram-se desagradavelmente pró-cíclicos: quando a economia desacelera, os pobres aprisionados em seus territórios consomem pouco e pagam menos impostos. Enquanto isso, os enriquecidos globalizados aceleram as remessas para os paraísos fiscais.

Assim, na posteridade da crise, o baixo crescimento sancionou a persistência de déficits orçamentários alentados. Tudo a ver: baixo crescimento, déficits fiscais e intervenção saneadora dos bancos centrais e dos tesouros nacionais para salvar as grandes instituições financeiras. Isso resultou na expansão das dívidas dos governos, aprofundando as mutações na composição da riqueza.

Essa combinação perversa legitimou as políticas de austeridade, políticas que penalizaram os sistemas de proteção social e maltrataram a vida dos empobrecidos.

Capítulo V
A MACROECONOMIA DE MARX, KALECKI E KEYNES

O economista Michel Kalecki formulou nos anos 30 a famosa parêmia: "os capitalistas ganham o que gastam e os trabalhadores gastam o que ganham". Ele utilizou os esquemas de reprodução de Marx para formular o princípio da demanda efetiva. As equações de Kalecki exprimem as condições de reprodução do sistema capitalista com dois ou três departamentos (ele inclui um departamento III que produz os bens de consumo dos capitalistas). Ao utilizar os esquemas de reprodução, Kalecki procura mostrar que o princípio da demanda efetiva já está posto no volume III de *O Capital*. Aí Marx estabelece a distinção entre *as condições de produção* de mais-valor – que dependem da capacidade produtiva da sociedade – *e as condições de realização do valor* que decorrem das antecipações dos capitalistas, ou seja, dependem das decisões da *classe capitalista* de renovar o circuito D-M-D'. A reiteração ampliada do circuito D-M-D' pelo o dispêndio da classe capitalista – aí incluído o Estado – deve aumentar simultaneamente a capacidade de produção da economia (investimento) e a massa de salários que sustenta o consumo dos trabalhadores e demais dependentes.

É preciso deixar claro que a distinção entre as condições de criação e de realização do valor não supõe que o valor possa ser criado *antes* de sua realização. As engrenagens de classe que sustentam a criação de valor e mais-valor não se movem sem o gasto dos capitalistas, senhores das decisões cruciais nesse regime de produção. Devemos insistir na ideia crucial de Marx: no circuito D-M-D', o dinheiro é *riqueza potencial*.

Inscrita na forma Reprodução ampliada, a reiteração do circuito Dinheiro-Mercadoria-Dinheiro suscita a criação de mais valor. Na verdade, os esquemas de reprodução ampliada procuram demonstrar a dinâmica da economia capitalista, o que envolve desvendar as conexões entre o movimento da estrutura monetária e produtiva e as expectativas que informam as decisões dos detentores dos meios de produção e do crédito.

A partir da constituição das forças produtivas especificamente capitalistas, ou seja, da subsunção real da força de trabalho ao domínio do capital e da concentração do capital-dinheiro no sistema de crédito, *são as variações nos gastos que determinam as variações na massa de lucros e na massa de salários, dado o grau de monopólio, uma proxy da taxa de exploração.* As categorias de gasto, aqui, estão definindo relações de propriedade. Essas relações afirmam a possibilidade da classe capitalista – que tem o monopólio dos meios de produção e o controle do sistema de crédito- de gastar acima de seus rendimentos correntes, em contraposição a outra classe, os trabalhadores, adstrita a gastar apenas aquilo que ganha.

Assim, comentando a equação: "Lucros Brutos = Investimento Bruto + Consumo dos Capitalistas", Kalecki se pergunta sobre o seu significado: "Significa ela, por acaso, que os lucros, em um dado período, determinam o consumo e o investimento dos capitalistas, ou o inverso disto? A resposta a esta questão depende de se determinar qual destes itens está sujeito diretamente às decisões dos capitalistas. Fica claro, pois, que os capitalistas podem decidir consumir e investir mais em um dado período do que no precedente. Mas eles não podem decidir ganhar mais. São, portanto, suas decisões de investimento e consumo que determinam os lucros e não vice-versa".

Esta visão do capitalismo, aliás, não é prerrogativa de Marx ou Kalecki, mas é compartilhada por outros dois grandes analistas desse regime de produção: Keynes e Schumpeter. Na versão keynesiana do

CAPÍTULO V - A MACROECONOMIA DE MARX, KALECKI E KEYNES

princípio da demanda efetiva, o investimento e o crédito são as variáveis independentes que determinam a criação da renda monetária e, portanto, a distribuição do *valor criado pelo gasto na produção de bens de consumo e bens de produção* entre lucros e salários.

Os fundadores do método de análise da *economia como um todo* – contrariando o senso comum – sustentam que o crescimento da renda da comunidade e dos lucros empresariais depende da disposição de empresários, consumidores, governo ou os compradores estrangeiros possam realizar um dispêndio superior ao que estão ganhando, isto é, estejam colocando mais dinheiro na economia do que estão tirando.

Essa "aceleração" do dispêndio agregado é que vai induzir o crescimento dos lucros e da renda.

O capitalismo é um regime histórico de produção que se desenvolveu a partir da interação virtuosa entre a divisão social do trabalho e a generalização do mercado. Em seu desenvolvimento foram gestadas técnicas e formas de produção, como o *sistema automático de máquinas* e uso de energia não-humana, que o diferenciam radicalmente de outras formações sociais e econômicas. A consequência mais importante da generalização do mercado é o assalariamento, ou seja, a livre contratação de trabalhadores mediante o pagamento de salário monetário.

Como já foi dito em capítulo anterior, a Revolução Industrial engendrou a separação entre os setores de bens de produção e bens de consumo. A divisão interna do trabalho na manufatura celebrada por Adam Smith suscitou a mecanização das funções e a utilização crescente de máquinas cuja produção "industrializada" promoveu a divisão social do trabalho entre o departamento de bens de produção e o departamento de bens de consumo. A geração de valor e de mais valor, ou seja, a geração da renda e sua distribuição entre lucros e salários, impôs a diferenciação entre os *valores de uso* adequados à reprodução das classes sociais que contribuem para a criação da riqueza. Por sua "natureza" material, os bens de produção, particularmente os bens de capital fixo, não podem ser consumidos, ou melhor, o seu "consumo" só pode ocorrer ao longo do tempo, se mobilizados pelos gastos de investimento dos possuidores de riqueza para produzir outros bens.

5.1 O SISTEMA DE CRÉDITO E A DEMANDA EFETIVA

Para mobilizar esse aparato produtivo e responder a seus impulsos expansionistas, o capitalismo em sua dimensão fundamental de economia monetária incorporou à sua dinâmica o sistema de crédito, outrora dedicado a financiar os desatinos das majestades do Medievo e do *Ancien Régime*.

Na economia capitalista plenamente constituída, as decisões de gasto dos empresários nos setores de bens de produção e de meios de consumo são avaliadas pelo sistema de crédito. Para tanto, diante de um certo estado de expectativas a respeito dos rendimentos futuros, os empresários dos dois setores "financiam" nos bancos a aquisição dos meios de produção e a contratação de novos trabalhadores para conquistar lucros acrescentados. Dos salários pagos e dos lucros realizados saem as poupanças privadas que vão liquidar as dívidas ou se juntar ao estoque já existente de riqueza financeira da sociedade.

No livro *O Tempo de Keynes nos tempos do capitalismo* tratei da resposta de Maynard a Bertil Ohlin. No artigo *A Teoria Ex-Ante da Taxa de Juro*, Keynes desenvolve uma longa e minuciosa argumentação para sublinhar as diferenças entre provimento de liquidez pelos bancos para o financiamento do investimento e a poupança decorrente da *renda já criada*. Ainda que ironicamente admita a possibilidade de alguém projetar a poupança esperada a partir de sua renda futura, Keynes afasta essa possibilidade da poupança *ex-ante* financiar as decisões de investimento tomadas "agora". Os empresários investidores demandam liquidez – *cash* – que não pode ser obtida das poupanças futuras. O crédito é uma aposta na criação de riqueza futura.

Assim, as decisões de gasto estão subordinadas às expectativas dos capitalistas. Controladores de riqueza monetária – do sistema bancário em derradeira instância – os capitalistas dispõem do poder de criar moeda de crédito, incorporando novos títulos de dívida à sua carteira de ativos. No processo de "fechamento" do circuito gasto-utilização da renda, os lucros capturados pelas empresas e a fração da renda não gasta, apropriada pelas famílias, definem o montante da *poupança agregada*, encarnada em direitos de propriedade ou títulos de dívida, que possuem a prerrogativa

CAPÍTULO V - A MACROECONOMIA DE MARX, KALECKI E KEYNES

de exercer essas formas jurídicas de "apropriação" e "expropriação" contra os fluxos de rendimentos futuros ou sobre o valor do estoque de capital existente ou em formação.

A poupança tem uma dupla natureza: como fluxo, é um ato negativo, abstenção do consumo; como adição ao estoque de direitos sobre a renda e a riqueza, é uma reivindicação positiva e abstrata à posse da riqueza social. Sua utilização – mediante a aquisição de ativos novos ou existentes, reais ou financeiros – vai necessariamente reconfigurar a situação patrimonial de empresas e famílias. Assim, o *fluxo* de poupança redefine, na margem, a posição do balanço de empresas, famílias e governos, ou seja, as mudanças patrimoniais decorrentes da acumulação do *estoque* de passivos e de ativos – direitos e obrigações que incidem sobre a renda e o patrimônio dos agentes privados e públicos.

O sistema monetário, incluído o Banco Central, é incumbido de regular a expansão da moeda de crédito criada a partir dos empréstimos. Esses empréstimos geram depósitos que podem ser mobilizados como meios de pagamento. Não custa repetir: é o gasto que cria a renda – e*xpenditure creates income*. O que permite aos empresários e consumidores gastarem acima de sua renda corrente é a existência do crédito. O crédito é uma aposta, uma antecipação, sujeita ao risco de perdas, do *valor a ser criado* mediante a contratação da força de trabalho e dos meios de produção. Os bancos devem sancionar a aposta dos empresários e dos consumidores, imaginando que os lucros e rendimentos gerados serão suficientes para pagar os empréstimos e ainda produzir um sobre valor monetário.

Reiteramos o que foi dito no capítulo anterior: "Concentrado no aparato dos bancos e demais instituições financeiras, o crédito é *riqueza potencial* em sua forma mais desenvolvida. Os movimentos de expansão e contração do crédito pertencem à intimidade da dinâmica capitalista e não podem ser entendidos como distorções ou anomalias, como pretendem os economistas da Escola Austríaca".

Ao formular a hipótese sobre a demanda efetiva Keynes concebeu as decisões de produção dos empresários de bens de consumo e de bens de produção como *simultâneas*, guiadas, em condições de incerteza radical, por expectativas a respeito de horizontes temporais distintos. As decisões de produção corrente, informadas pelas expectativas de curto-prazo, definem a utilização da capacidade existente e se combinam com as avaliações de longo prazo que determinam as decisões de investimento. Isso ocorre em *cada ponto* da curva de demanda efetiva.

Em cada momento, a renda agregada resulta das decisões de gasto tomadas "coletivamente" pela classe capitalista a partir de avaliações efetuadas por cada empresário individual a respeito do *mais valor* que antecipam obter. Portanto, o que os empresários estão decidindo gastar agora na produção de bens de consumo e de bens de investimento está a criar a renda da comunidade.

Se considerarmos uma economia com dois setores, a simultaneidade das decisões de produção é importante para a interpretação do significado do multiplicador keynesiano ou dos multiplicadores de Kalecki. Em ambos os autores a ideia de multiplicador tem por objetivo estabelecer uma hierarquia das decisões de gasto: as variações nas decisões de produzir correntemente bens de investimento para criação de nova capacidade determinam as variações no volume que deve ser produzido no setor de bens de consumo (Keynes). Essa hierarquia revela o tipo de decisão (a decisão de investir) fundamental para a determinação das variações na renda e no lucro agregados.

A grande concentração de capital fixo e dominância dos bancos na intermediação financeira ancoram a dinâmica do capitalismo no aumento da produtividade social do trabalho, o que, por sua vez, impulsiona a competição entre as empresas pela inovação tecnológica. A incorporação de novas gerações de insumos e equipamentos reduz, no mesmo movimento, o tempo de trabalho e o número de trabalhadores necessários para produzir bens e serviços.

5.2 EXCURSO: O DEMÔNIO MONETÁRIO

No modelo clássico da sociedade habitada por indivíduos racionais, utilitaristas, proprietários de mercadorias e dos fatores de produção, a moeda só é necessária formalmente como moeda de conta e meio de

CAPÍTULO V - A MACROECONOMIA DE MARX, KALECKI E KEYNES

troca. A moeda é neutra e determina o nível geral de preços sem qualquer efeito de longo prazo sobre a economia de intercâmbio de mercadorias, cujos valores relativos são mensurados pela utilidade marginal dos agentes. Também é nesse espaço de mensuração que são tomadas as "decisões de produção" dos indivíduos proprietários do capital e do trabalho.

Locke, como os demais pensadores liberais, enfrentou o susto ao observar a experiência da aquisição da propriedade mediante o exercício da acumulação monetária. Para o filósofo liberal, o avanço da sociedade mercantil enseja um fenômeno perturbador: o dinheiro permite o acesso à propriedade independentemente do trabalho. A existência do dinheiro torna arbitrária a apropriação dos bens e da propriedade em geral. Locke menciona a questão incômoda, mas a abandona.

Hume enfrentou o demônio com a hipótese quantitativa dos tempos da base áurea dos sistemas monetários. "Eu conheço poucos métodos de derrubar o dinheiro abaixo de seu nível como [o fazem] bancos, fundos e papéis de crédito, instituições muito praticadas nesse Reino. Isso torna os papéis equivalentes ao dinheiro, circulando por todo o país, substituindo o ouro e a prata e elevando proporcionalmente o preço do trabalho e das mercadorias e, dessa forma, banindo grande parte desses metais preciosos (...)".

No livro *Monetary Theory and Policy from Hume and Smith to Wicksell*, Arie Arnon trata das divergências entre David Hume e Adam Smith. Hume assume a completa naturalidade do sistema monetário apoiado nas regras de ajustamento automático entre quantidade de moeda metálica, as flutuações de preços relativos e a entrada e saída de ouro do país (*Price-Specie-Flow Mechanism*).

Adam Smith investigou as relações entre o ouro, base natural e internacional da circulação monetária, e a emissão de papel-moeda nacional pelos bancos: "O aumento na quantidade de papel moeda e a consequente redução no valor da moeda total aumenta necessariamente o preço das mercadorias. Mas, se a quantidade de ouro e prata retirada da circulação monetária igualar a quantidade de papel moeda adicionada, a oferta monetária não se eleva necessariamente".

Para compatibilizar a emissão de papel-moeda pelos bancos e as imposições do ajustamento das reservas-ouro, Smith recorreu à hipótese das transações reais (*real bills*) que postulava a concorrência e o autointeresse como garantias da disciplina dos banqueiros, empenhados em descontar tão somente papéis que registrassem *transações reais* entre proprietários de mercadorias. Cauteloso, Smith recomendava restrições à liberdade para a operação dos bancos, "que podem colocar em perigo a segurança de toda a sociedade e, por isso, devem ser disciplinados pelas leis dos governos, desde os mais livres aos mais despóticos".

No ensaio *The High Price of Bullion*, David Ricardo se debate com as constantes variações nos preços do ouro e da prata nos regimes monetários ancorados na moeda- mercadoria: "A adoção de um *standard* (padrão) não impede que estejamos sujeitos a variações no valor da moeda, na medida em que o próprio *standard* está submetido a essas variações; mas não há remédios disponíveis contra tais variações (...). Isso só prova que o ouro e a prata não têm desempenhado tão bem sua função de *standard*, como era suposto; eles estão sujeitos a variações mais intensas do que seria desejável. Talvez fosse possível encontrar uma mercadoria de valor mais estável, com as mesmas propriedades do ouro e da prata. A questão não pode ser respondida".

No *Treatise on Money*, Schumpeter discorre ironicamente a respeito das aflições com a variação no valor *material* da moeda: "O valor material das moedas fica muito próximo da consciência ingênua. Aí toma corpo a aflição com a doença monetária [*morbus numerarius*]. As sucessivas tentativas de esconder a deterioração do conteúdo metálico na cunhagem, prática de conhecimento dos Ptolomaicos, inquinou o processo de fraude, o que levou Dante a mandar para o inferno os *mintmasters*".

Ao retornar ao inferno, o demônio monetário conspirou para estender suas perversidades à controvérsia entre a *Currency School* e a *Banking School*. Já em 1823, David Ricardo esboçou o *Plan for the Establishment of a National Bank*, publicado seis meses após sua morte em 1824. No esboço do Plano, Ricardo discorreu a respeito das duas funções do Banco da Inglaterra que "realiza duas operações bancárias, muito distintas sem conexão necessária entre uma e outra: o banco emite papel moeda como

CAPÍTULO V - A MACROECONOMIA DE MARX, KALECKI E KEYNES

substituto da moeda metálica; e avança dinheiro sob a forma de empréstimos para comerciantes e outros. A inexistência de conexão entre as duas operações torna-se óbvia se tomamos em conta que elas devem ser executadas por dois departamentos separados, sem a mínima perda de vantagens, quer para o país quer para os comerciantes que recebem a acomodação dos empréstimos".

John Stuart Mill, como seus predecessores, entendia a conversibilidade do papel-moeda em reservas-ouro como um "ganho nacional", mas considerava a expansão monetária sem respeito às regras da conversibilidade como "uma forma de roubo". Na linguagem técnica dos economistas monetários esse "roubo" é qualificado como *seigniorage:* o poder conferido pela faculdade de emitir moeda para adquirir a propriedade de recursos reais. No *Principles of Political Economy,* Mill se defrontou com a avaliação de uma sucessão de crises que acometeu a economia inglesa e mundial desde 1825. Adepto da validade da Lei de Say no longo prazo, Mill foi obrigado a admitir flutuações determinadas pelo caráter perturbador do dinheiro e do crédito. Ele aceitou a possibilidade da interrupção do processo de intercâmbio, sujeito à separação entre atos de compra e de venda. Daí surge o risco do dinheiro se autonomizar diante das mercadorias "vulgares" e suscitar o desejo do dinheiro pelo dinheiro. A alternância entre as fases de ascensão e de recessão são atribuídas aos desmandos eufóricos e demoníacos do crédito.

Sob inspiração ricardiana, o ato bancário de 1844 criou dois departamentos no Banco da Inglaterra: o departamento de emissão e o departamento de desconto de títulos e valores, ou seja, de crédito. O *Banking Act* impôs regras de conversibilidade para a relação entre a emissão de papel moeda e as reservas-ouro.

A separação entre departamentos de emissão e de crédito revelou suas fragilidades na crise de 1857. Devido a uma má colheita, a Inglaterra foi constrangida a recorrer à importação de alimentos e perdeu uma fração importante de suas reservas-ouro. No fragor da recessão, a regra da conversibilidade impediu uma resposta à demanda crescente de meios de pagamento. O Banco da Inglaterra permitiu que a falência devastasse os negócios de comerciantes e industriais. A queda no "movimento interno das mercadorias" e a solvência dos produtores foi agravada pela regra de conversibilidade imposta pelos movimentos das reservas-ouro.

Os partidários da *Banking School* recomendavam a redução da taxa de desconto para permitir que a oferta de crédito pudesse atender à demanda de dinheiro como meio de pagamento. Mas a taxa de desconto foi elevada para conter a saída de reservas-ouro. Isso agravou a crise.

Esclarece Marx em *O Capital*: "A crise de 1857 ocorre em plena vigência do ato bancário de 1844 que impôs a conversibidade das notas em relação à certa quantidade de ouro. E quando sobreveio a crise, como houve uma fuga fantástica de ouro para o exterior, por causa inclusive da situação deficitária permanente do ponto e vista comercial da Inglaterra, o que aconteceu é que o Banco da Inglaterra além da retração normal, deu uma 'freada' na oferta de crédito. Mas a 'freada' não foi suficiente porque os bancos começaram a correr para o Banco da Inglaterra para obter disponibilidade de reservas e fazer frente à inadimplência e à paralisação dos negócios. O banco da Inglaterra então decreta a inconversibilidade. De qualquer maneira o Banco da Inglaterra agravou a crise porque se tivesse simplesmente se desvinculado e socorrido com dinheiro do Banco Central as necessidades de crédito da economia, a crise teria sido muito menos profunda".

Marx faz aí um ataque ao *Currency Principle* e defende a *Banking School*. Ataca a teoria quantitativa da época, que submetia a moeda bancária à conversibilidade, conforme uma proporção determinada entre gramas de peso do metal e o valor da moeda bancária. No sistema de criação de moeda pelos bancos, o dinheiro ingressa na economia mediante a demanda de crédito por parte dos comerciantes e industriais. Essa demanda de crédito tem formas distintas, conforme a fase do ciclo. Na expansão, a demanda de crédito corresponde ao financiamento dos negócios, capital de giro e investimentos. Na crise, a demanda de meios de pagamento se amplia para manter a solvência dos negócios em operação.

A *Banking School* pretendia desvincular o dinheiro de crédito das normas que regeriam a circulação de moeda metálica. A "oferta" do dinheiro de crédito é determinada pelas necessidades dos comerciantes

CAPÍTULO V - A MACROECONOMIA DE MARX, KALECKI E KEYNES

e industriais, conforme seus hábitos de pagamento. A estabilidade monetária é assegurada pela hipótese das *transações reais*, tal como estava em Adam Smith: os bancos descontam apenas os títulos que confirmam uma transação envolvendo a compra e venda de mercadorias e serviços.

O corifeu da *Banking School*, John Fullarton, assegurava que a circulação de bilhetes de banco "deve estar sempre limitada pelos desejos daqueles que dispõem de valor ou de um título de crédito para oferecer". A doutrina das *transações reais,* postulada pela *Banking School*, partia de um suposto parcialmente verdadeiro a respeito das práticas do sistema bancário inglês do século XIX. Os empréstimos bancários estariam comprometidos, sobretudo, com a indústria para financiar o comércio exterior e o capital de giro das empresas. Isso não impedia, no entanto, a emergência de episódios especulativos com mercadorias e valores nos auges cíclicos, como ocorreu nas crises de 1837 e 1857.

Em setembro de 1856, ao abordar a crise já em gestação, Karl Marx aponta sua peculiaridade. O atual período de especulação na Europa, diz ele, é marcado pela universalidade da tormenta. O mundo já padeceu uma sucessão de manias: especulação com o preço do trigo, manias com ferrovias, minérios, teares de algodão. A especulação de hoje não se restringe a um determinado setor ou mercadoria. Estamos diante de um fenômeno novo: "especular com a especulação".

Marx dispara contra os diretores do banco francês Credit Mobilier: "não foi necessário recorrer a práticas refinadas para abocanhar o capital da companhia, enquanto brindavam seus acionistas majoritários com elevados dividendos e esfolavam os depositantes e os minoritários com contabilidade fraudulenta".

Diante dos sucessivos episódios de especulação virulenta, a história da teoria econômica, dos clássicos aos novos clássicos e aos impropriamente ditos neokeynesianos, é um exercício esfalfante. É ingente o esforço para neutralizar o dinheiro, esse objeto perturbador para o trinômio que sustenta a arquitetura da Economia Política Clássica e informa as hipóteses mais "avançadas" que tratam das economias capitalistas: *naturalidade, racionalidade e equilíbrio.*

O dinheiro não pode ser admitido como um objeto que polariza o desejo e obriga os indivíduos racionais e utilitaristas a decisões insensatas. É inadmissível um objeto que absorve em si mesmo a utilidade e, assim, compromete as condições da escolha racional. É oportuno relembrar que nos modelos de equilíbrio geral a racionalidade dos agentes se exerce em um espaço de preços relativos "reais" que garantem *ex-ante* o equilíbrio das transações em todas as datas e contingências.

Atormentados por seu desespero "científico", os economistas da chamada corrente principal se esforçaram e ainda se esforçam para "naturalizar" o dinheiro, o crédito e os bancos. A insistência em naturalizar o dinheiro e transformá-lo em um mero intermediário choca-se com a formação dos sistemas monetários e de crédito, instituições construídas ao longo da história do capitalismo.

Nos estertores do século XIX, já na marcha batida da Segunda Revolução Industrial, o economista sueco Knut Wicksell correu o risco de enfrentar o demônio da moeda bancária, sem abandonar a visão naturalista da economia. Nas *Lectures on Political Economy* Wicksell reconheceu o caráter antinatural do capital, ou seja, das máquinas, em oposição à terra e ao trabalho: "Na realidade, o capital não é fisicamente limitado – como a terra e, por curtos períodos, o trabalho. Ele [o capital] pode ser ampliado a qualquer momento pela poupança; e também pode ser reduzido pelo consumo improdutivo".

No inferno das turbulências do final do século XIX que transtornavam as economias de mercado, Wicksell formulou o conceito de taxa natural de juros, aquela que equilibra a poupança e o investimento. Se a taxa monetária, aquela administrada pelo sistema bancário, aí incluído o Banco Central, está fora do lugar, a economia de mercado ingressa num processo cumulativo de deflação ou inflação, conforme a taxa monetária esteja acima ou abaixo da taxa natural.

Entre o crepúsculo do século XIX e os primórdios do século XX, a teoria austríaca do capital retoma a teoria da escolha intertemporal entre consumo presente e consumo futuro. Na formulação da escola austríaca, de Carl Menger avon Mises e Hayek, no "processo de mercado" a

CAPÍTULO V - A MACROECONOMIA DE MARX, KALECKI E KEYNES

expansão em equilíbrio da economia está submetida à decisão intertemporal que define a preferência dos agentes individuais entre consumo presente e consumo futuro.

A escolha entre consumo e poupança dependeria da taxa natural de juro que exprime a "produtividade do capital" no sentido de Wicksell, Böhm-Bawerk. Em condições de pleno emprego dos fatores de produção, a taxa natural, ou de equilíbrio, exprime a escolha entre a utilização dos recursos reais no presente (consumo) ou no futuro (poupança/investimento). O investimento é um processo longo e indireto de acesso ao consumo futuro (*roundaboutness*), o consumo diferido.

A relação poupança/investimento dos austríacos tem uma dimensão "monetário-financeira": a teoria dos fundos prestáveis. O equilíbrio da economia "real" só é assegurada se a poupança prévia acumulada sob a forma de depósitos é mobilizada pelos bancos que são meros intermediários entre poupadores e "gastadores". As operações de crédito, se mediadas pela taxa natural de juro, apenas redistribuiriam as posições entre credores e devedores, refletindo as distintas preferências entre consumo presente e consumo futuro (investimento). A dívida de A é o crédito de B: os balanços se transformam simetricamente.

Fosse assim, não haveria a possibilidade de uma "crise de crédito" provocada por uma diabólica capacidade dos bancos de criar moeda e promover a alavancagem excessiva. No auge da Grande Depressão, Ludwig von Mises escreveu em seu livro *Money and Credit* que "a deflação de preços dos últimos cinco anos não deve ser atribuída ao padrão-ouro, mas, sim, à inevitável e inelutável consequência da expansão do crédito que estava destinada ao colapso". Ainda assim, diz von Mises, o remédio recomendado é uma outra expansão do crédito, o que certamente vai conduzir a economia a um outro surto de euforia e a uma outra crise.

O dinheiro, continua von Mises, é simplesmente um meio de intercâmbio de mercadorias e serviços. O dinheiro cumpre sua função ao tornar mais fácil esse intercâmbio do que seria possível na troca direta (*barter*). Tentativas de reformas monetárias para estimular a economia mediante a expansão da circulação vão necessariamente levar à crise.

Hayek se dispõe a demonstrar no livro *Prices and Production* que "quando o volume de dinheiro é elástico pode existir uma falta de rigidez (sic) entre a poupança e a criação de capital real". Os desequilíbrios só podem irromper graças à expansão do crédito e da moeda, acarretando o desalinhamento entre a taxa monetária de juro e a taxa natural. A naturalidade da economia reaparece na roupagem da taxa de juro natural. Não só é natural como também justa a remuneração do capital. A taxa se eleva quando prevalece a preferência pelo consumo presente em detrimento do consumo futuro. Não há o que fazer: se os indivíduos, movidos por suas preferências utilitaristas escolhem, numa situação de escassez de recursos, consumir mais hoje do que adiar para amanhã, o investimento declina.

Os economistas austríacos, Hayek à frente, seguiram suas lições e não se cansaram de lamentar o papel do crédito na "deformação" das leis naturais da economia. O crédito, dizem eles, viola o princípio sagrado que garante a evolução em equilíbrio das economias de mercado: o investimento genuíno, não distorcido, deve ser precedido pelas virtudes da poupança e da frugalidade.

Walras, Wicksell, Hayek e Milton Friedman formularam teorias distintas, mas todas elas acolheram a hipótese da separação entre os "fatores reais, naturais" e os "fatores monetários". Os chamados novo-clássicos, escorados na hipótese das expectativas racionais, proclamaram a irrelevância dos fatores monetários e decretaram que as forças reais da produtividade e da poupança são as fontes de dinamismo das economias e da sucessão de ciclos que as acomete.

Robert Lucas e outros não circunscreveram suas aventuras científicas ao campo da teoria monetária. Invadiram a área da teoria dos ciclos econômicos com a elegante *teoria dos ciclos reais*. Essa inovação teórica dos estetas novo-clássicos é descendente da dicotomia entre economia real e economia monetária, que concede privilégios às forças reais em contraposição aos motivos monetários. Os ciclos econômicos são produzidos por choques desferidos no sistema por alterações nas preferências de agentes – empresários ou consumidores- que, na busca de maximizar a sua função-utilidade, suscitam alterações na matriz

CAPÍTULO V - A MACROECONOMIA DE MARX, KALECKI E KEYNES

tecnológica e na estrutura do consumo. Os choques são absorvidos, mesmo diante de informações incompletas, pela percepção dos agentes racionais a respeito da trajetória provável da economia. Isso impede que os protagonistas cometam erros sistemáticos. Assim, a ação racional dos indivíduos reconduz a economia a uma nova situação de equilíbrio.

As flutuações da economia são fenômenos compatíveis com o progresso tecnológico, o aumento do bem-estar e o equilíbrio a longo prazo. A condição para que isso aconteça é deixar aos mercados competitivos a incumbência de produzir os incentivos para a alocação mais eficiente da riqueza ao longo do tempo. Aos governos nada resta senão cruzar os braços para não turbar os sinais que o mercado emite e não produzir "ruído" nas informações.

A demanda de moeda é estável porque a função reserva de valor que suscita a demanda especulativa e a preferência pela liquidez sumiu do mapa; por isso, os ativos financeiros e reais são altamente intercambiáveis; o consumo depende do valor descontado de todas as receitas futuras e não da receita corrente; o tropismo em direção à teoria quantitativa da moeda arquitetou a Nairu (taxa de desemprego não aceleradora da inflação), concebida para mimetizar o conceito de taxa natural de desemprego, como advertência aos perigos de estímulos "pelo lado da demanda".

Na narrativa convencional, o intercâmbio de mercadorias e de ativos transcorre, com ligeiras flutuações, nos mercados eficientes informados pelos "fundamentos". Nos modelos de equilíbrio geral com mercados completos para todas as datas, o dinheiro é supérfluo. Os agentes racionais logram maximizar sua função-utilidade, dentro das restrições impostas por sua dotação de recursos reais. No universo newtoniano da modelística, só um desatinado poderia desejar o dinheiro pelo dinheiro. Nessa economia sem dinheiro verdadeiro não há demanda de liquidez.

A macroeconomia ensinada nas últimas décadas nas academias do mundo anglo-saxão não contemplava a existência de dinheiro, bancos ou mercados financeiros. Os mercados de crédito, de avaliação da riqueza e suas poderosas instituições – o sistema nervoso que comanda o capitalismo – são impedidos pela racionalidade dos "mercados eficientes" de desatar corridas para a liquidez e crises financeiras.

Na realidade, essa concepção da economia, digamos, "de mercado" é estática e o dinheiro entra na dança apenas como numerário, unidade de conta. A dinâmica da economia é movida pelas forças reais da abstinência e da poupança que, sem fricções, se transformam imediatamente em investimento. A trajetória apresenta suaves flutuações, mas a economia é sempre igual a ela mesma, ancorada nas expectativas racionais do agente representativo. Não há dinâmica no sentido de um movimento no tempo histórico.

O *super-homem* da Teoria Novo-Clássica, aquele das expectativas racionais, não se deixa enganar por "truques nominais" da política monetária e da política fiscal. A hipótese das expectativas racionais postula a superneutralidade da moeda e o "teorema da equivalência ricardiana": o agente racional reconhece o caráter artificial do dinheiro e sabe que os truques nominais e o déficit fiscal de hoje serão corrigidos "estruturalmente" por mais impostos amanhã. A tentativa política econômica para reduzir o desemprego só resultaria em maiores taxas de inflação e necessidade de maiores impostos no futuro.

5.3 O DEMÔNIO E SUAS DIABRURAS

> "Aquele que ama o ouro dificilmente escapa do pecado".
> (Livro do Eclesiástico, versículo 31, 5)

Em sua obra magna, *A Filosofia do Dinheiro,* Georg Simmel ocupa-se das relações entre a atribuição de valor aos objetos distintos e o processo de igualação produzido pela abstração monetária. Para Simmel, na sociedade submetida ao processo de igualação das diferenças, o dinheiro, mais do que qualquer outro objeto que possuímos, é libertador porque nos obedece sem reservas. Se o possuímos, o seu *poder abstrato* nos permite acesso a todos os bens, qualitativamente distintos entre si.

CAPÍTULO V - A MACROECONOMIA DE MARX, KALECKI E KEYNES

A "vacuidade" do dinheiro dispensa qualquer conteúdo que ultrapasse a simples *forma de possessão*. Enquanto forma do valor e expressão geral da riqueza, o dinheiro nos liberta da tirania dos objetos singulares e, ao mesmo tempo, nos tiraniza com sua capacidade de adquirir qualquer objeto. "A impessoalidade e a universalidade de seu ser abstrato", disse Simmel na *Filosofia do Dinheiro,* "se colocam a serviço do egoísmo e da diferenciação".

Simmel reproduz as considerações de Marx nos *Grundrisse* a respeito da "permutabilidade de todos os produtos, atividades e relações por um terceiro, por algo que pode ser, por sua vez, trocado *indistintamente* por tudo (...). A relação universal de utilidade e de usabilidade. A equiparação do heterogêneo, como Shakespeare bem define o dinheiro".

Essa universalidade se realiza no dinheiro como *riqueza potencial*. Forma necessária do capital, o dinheiro não apenas intermedia transações entre valores já existentes. O capital-dinheiro é uma aposta na geração de riqueza futura, o que envolve o pagamento de salários monetários aos trabalhadores e aquisição de meios de produção com o propósito de captura um valor monetário acima do que foi gasto.

Os sistemas monetários modernos ultrapassaram as limitações impostas pela consubstanciação das funções monetárias em uma mercadoria particular (caso do ouro ou dos sistemas monetários que prevaleceram até o início do século XX). São fundados exclusivamente na confiança e não em automatismos relacionados a uma imaginária escassez do metal ou ao caráter "natural" da moeda-mercadoria. "E o lastro?", perguntam os saudosos do padrão-ouro. Ah sim, a âncora, retrucam os contemporâneos. Diria Hegel que a moeda realiza o seu conceito: é uma instituição social ancorada nas areias movediças da confiança. *Fiducia, Credere*.

Nos sistemas monetários contemporâneos, o dinheiro é administrado em primeira instância pelos bancos. Essas instituições têm o poder de avaliar o *crédito* de cada um dos centros privados de produção e de geração de renda e, com base nisso, emitir obrigações contra si próprios, ou seja, dinheiro. A criação monetária até aqui depende exclusivamente de que os bancos sancionem a aposta privada. Em segunda instância, o Estado através do Banco Central referenda ou não o crédito a que os agentes julgam ter direito e que é concedido pelos bancos.

Em uma forma desenvolvida, esse sistema não permite ao Estado executar diretamente a tarefa de integrar a moeda ao circuito mercantil, mas o leva a permanecer como garantidor último dos contratos mercantis privados que fixam seus termos e suas condições sob a forma monetária. Somente um instrumento dotado de reconhecimento diretamente social – garantido pelo Estado ou por um organismo que represente os interesses gerais dos estratos mercantis, e que esteja acima deles – é capaz de assegurar a validade das decisões e dos critérios de enriquecimento privado nas economias capitalistas.

Keynes expressou a condição acima de forma absolutamente clara. Em um sistema monetário baseado exclusivamente na confiança e no crédito, a moeda é aceita em suas funções – meio de circulação, padrão de preços e reserva de valor – como instrumento reconhecido socialmente. Isto significa que os agentes privados reconhecem que:

a) o representante geral da riqueza, forma social do enriquecimento privado, não pode ser produzida diretamente pelos agentes individuais;

b) nenhuma decisão arbitrária é capaz de substituir o dinheiro em suas funções por qualquer outra mercadoria ou contrato particular.

É muito importante a observação de Keynes a respeito das propriedades do dinheiro no capítulo XVII da *Teoria Geral*. O dinheiro tem elasticidade de produção e de substituição nulas ou irrelevantes. Isso significa que as empresas privadas não podem produzir dinheiro contratando mais trabalhadores e que nenhum outro ativo pode substituí-lo como forma geral da riqueza. Se for impossível produzir dinheiro, também não se poderá evitá-lo. Assim, Keynes pretende sublinhar que o ativo líquido, o dinheiro, não pode ser produzido privadamente, ainda que, em condições de crescimento estável da economia, os produtores privados tenham a ilusão necessária de que estão "produzindo dinheiro"

CAPÍTULO V - A MACROECONOMIA DE MARX, KALECKI E KEYNES

com a venda de suas mercadorias e realização dos preços de seus ativos. Essa ilusão se desfaz quando o mercado se nega a confirmar as pretensões das mercadorias e ativos privados de se apresentarem como "dinheiros particulares".

No capítulo I de *A Treatise on Money*, Keynes define a natureza de uma economia monetária em oposição a uma economia de troca. Na economia monetária, o dinheiro assume a condição de poder social que regula as transações entre os detentores privados da riqueza. O Estado se incumbe não só de "impor o dicionário, mas também se encarrega de escrevê-lo". Isso significa que todas as mercadorias, ativos e títulos de dívida não podem circular sem antes ganharem a denominação imposta pelo dinheiro estatal em sua função primordial de moeda de conta. A despeito de seu caráter mercantil, o dinheiro não é uma mercadoria, mas uma instituição social.

A possibilidade de produção ou substituição por qualquer centro de decisão privado introduziria uma ameaça de arbítrio na quantidade e no valor da moeda em benefício próprio, incompatível com a natureza das relações mercantis e com a acumulação privada de riqueza.

Por outro lado, a unidade do padrão monetário (mantida à medida que a moeda legal cumpre simultaneamente suas três funções) oculta uma dualidade na gestão da moeda. Enquanto referência de cada produtor e centro privado de decisão, a gestão estatal tem que preservar a forma diretamente social da moeda. Esta gestão não pode se efetuar através de uma relação imediata do administrador da moeda (o Estado) com os produtores. Do contrário, introduzir-se-ia o mesmo risco do exercício arbitrário do poder de monetização que qualquer agente privado teria, caso fosse titular da prerrogativa de produzir ou substituir o dinheiro.

A dificuldade de apreensão do significado da gestão monetária e de seus limites reside no fato de que não há um padrão que possa ser preestabelecido ou considerado único. A não submissão dos atos de gestão monetária ante interesses particulares é impossível de ser assegurada *a priori*. Alguns economistas advogam o "Banco Central Independente" com o propósito de garantir a função "neutra" da moeda. Mas a conclusão é, no mínimo, apressada. O que a independência do Banco Central admite é a limitação do poder e do arbítrio no exercício da administração monetária. O erro consiste em atribuir a possibilidade de não-neutralidade e de arbítrio à gestão da moeda, quando, na verdade, a instabilidade é da natureza das economias monetárias. O caso mais geral é representado pela teoria monetarista que julga ser possível impor normas homogêneas de gestão monetária aos centros privados de decisão, como se a estabilidade monetária fosse uma decorrência direta e exclusiva da atuação do gestor. O monetarismo toma como um princípio o que é, na realidade, um resultado sujeito a condições: os agentes privados devem acreditar que a moeda legal não pode ser produzida ou substituída em suas funções.

O postulado monetarista admite que não existem fatores de perturbação monetária originários das avaliações privadas. Implicitamente, supõe que uma decisão dos centros privados corresponde ao que foi antecipado, vale dizer, que as expectativas são sempre cumpridas e que não há incerteza. Desta forma, qualquer desequilíbrio monetário nasceria do descumprimento, pelo Estado, das regras de gestão.

A moeda e a confiança nela são fenômenos coletivos, sociais. Tenho confiança na moeda porque sei que o *outro* está disposto a aceitá-la como forma geral de existência do valor das mercadorias particulares, dos contratos e da riqueza. O metabolismo da troca, da produção, dos pagamentos, depende do grau de certeza na preservação forma geral do valor, que deve comandar cada ato particular e contingente. A reprodução da sociedade fundada no enriquecimento privado depende da capacidade do Estado de manter a integridade da convenção social que serve de norma aos atos dos produtores independentes.

A sociabilidade dos produtores privados independentes, que produzem diretamente para a troca, começa a ser definida a partir *numeração* das mercadorias, inclusive da capacidade de trabalho, por uma medida comum de valor. A "sociedade", ou seja, as relações constituídas pela referência a um padrão comum de valor, subordinam, do ponto de vista lógico, os desejos e preferências do indivíduo produtor. Os indivíduos "separados" devem se submeter ao teste do reconhecimento *social* da "declaração" de valor de seu produto particular, mediante o veredito anônimo do mercado.

CAPÍTULO V - A MACROECONOMIA DE MARX, KALECKI E KEYNES

O dinheiro é, portanto, fundamento das relações entre os produtores independentes e, por outro lado, o único critério quantitativo admissível para a avaliação do enriquecimento privado.

É a partir dessa dupla natureza, ou seja, da sua *qualidade social* como norma de socialização dos indivíduos privados e como critério e propósito *quantitativo* do enriquecimento que o dinheiro na sociedade mercantil-capitalista deve aparecer como a unidade das três funções, a saber, moeda de conta, meio de pagamento e reserva de valor. As duas primeiras executam de forma reiterada os *ritos do reconhecimento social* que acompanham o processo de socialização dos indivíduos privados e separados: ou seja, denominar cada mercadoria particular na forma geral do valor e submeter-se à aceitação dessa declaração pelo tribunal do mercado. A terceira função, a de reserva de valor, corresponde à impossível, mas obrigatória, busca da certeza que acompanha a dimensão quantitativa da riqueza, inexoravelmente avaliada sob a forma monetária e abstrata.

Na teoria neoclássica, de inspiração walrasiana, a relação entre os proprietários privados de riqueza ou, se quiserem, entre os centros independentes de produção, é entendida a partir da ideia de que os interesses estão pré-reconciliados pela ação racional dos agentes. Isso supõe, portanto, que a socialização dos indivíduos privados, separados pela divisão social do trabalho, esteja garantida *a priori* e ancorada na racionalidade otimizadora, que ajusta os meios aos fins. Como já foi dito, nessa hipótese a respeito da socialização dos indivíduos privados, produtores de mercadorias, a moeda só é necessária formalmente, como moeda de conta e, mesmo assim, não desempenha qualquer papel relevante no processo de intercâmbio. A moeda é exógena, neutra e só determina o nível geral de preços, sem qualquer efeito sobre a economia "real". As crises monetárias podem ser vistas como acontecimentos fortuitos ou anormais, em geral provocados, num regime de moeda fiduciária, pela ação desorganizadora do Estado.

Na visão que considera o processo de socialização dos interesses privados na "economia de mercado", capitalista, o dinheiro é a forma incontornável de *institucionalização* da rivalidade entre proprietários de riqueza. Sendo assim, é preciso reconhecer que as instituições que nascem desse conflito são, elas mesmas, instáveis e sujeitas ao colapso e a reorganizações periódicas. A ordem monetária disciplina e dá sentido à rivalidade que preside a busca do ganho privado. O comportamento "maximizador", sem a moeda ou sem o constrangimento de suas normas, se transformaria numa guerra de todos contra todos. Mas, como a moeda, em si, é produto da luta encarniçada pela riqueza, também não está a salvo de rupturas periódicas que podem fazer a sociedade retornar a seu "estado primitivo".

Os agentes privados têm de acreditar nessa convenção precária e transformá-la numa *âncora natural*, num centro de gravitação de suas decisões, girando como a Terra em torno do Sol. O comportamento rotineiro, diz o professor Aglietta, torna possível à moeda cumprir simultaneamente suas funções de unidade de conta, meio de circulação e reserva de valor. Essa convenção deve ser suficientemente enraizada para permitir o movimento de preços relativos e a operação de forças da oferta e da demanda.

Keynes definiu da seguinte maneira a riqueza em uma economia empresarial capitalista: "Há uma multidão de ativos reais no mundo, os quais constituem a nossa riqueza de capital: construções, estoques de mercadorias, bens em processo de produção e de transporte e assim por diante. Os proprietários nominais destes ativos, no entanto, têm, frequentemente, tomado dinheiro emprestado para entrarem na posse deles. Em contrapartida, os verdadeiros possuidores da riqueza detêm direitos, não sobre os ativos reais, mas sobre o dinheiro. Uma considerável parte deste financiamento tem lugar através do sistema bancário que interpõe sua garantia ampla entre os depositantes que emprestam o dinheiro e os tomadores de dinheiro que buscam estes fundos para financiar a compra de ativos reais. A interposição deste véu monetário entre o ativo real e o possuidor da riqueza é a marca registrada do mundo moderno".

São várias as questões importantes suscitadas pelo autor. A primeira diz respeito à riqueza em sua dimensão produtiva, a dimensão relevante para o conjunto da sociedade porque é a única capaz de garantir a sua reprodução e sobrevivência. Essa riqueza possui ainda uma outra dimensão numa economia empresarial capitalista. Ela é necessariamente propriedade

CAPÍTULO V - A MACROECONOMIA DE MARX, KALECKI E KEYNES

de alguém. A riqueza real deve ter uma "eficiência" em função de si mesma, que, por seu turno, corresponde à capacidade de reproduzir o seu próprio valor e ainda gerar um excedente. A capacidade de um ativo de reproduzir-se nos termos acima foi chamada por Keynes de eficácia marginal do capital. A riqueza, enquanto propriedade de alguém, só pode ser avaliada enquanto capacidade aquisitiva, ou seja, como um poder sobre os demais possuidores de riqueza, ou como "riqueza geral". Neste sentido, a sua medição só pode ser feita em termos monetários ou melhor, em termos da taxa monetária de juros, ou ainda, do "preço" de se desprender agora do "poder geral" (dinheiro), para reavê-lo em data futura.

O que está em jogo aqui são os critérios de avaliação do estoque da riqueza real, em suas dimensões indissociáveis, a produtiva e a capitalista. Neste sentido, é possível imaginar, numa perspectiva keynesiana, alterações na taxa de juros e na eficácia marginal do capital, sem que isto tenha origem nas flutuações antes discutidas no fluxo corrente de investimento. A eficiência – medida da rentabilidade esperada – é do capital, ou seja, do estoque de ativos instrumentais enquanto riqueza. A taxa de juros é a taxa de conversão da riqueza, em suas várias formas, na riqueza líquida e não apenas a taxa fixada nos contratos de dívidas.

A avaliação capitalista da riqueza está, portanto, submetida a três medidas simultâneas:

a) a rentabilidade esperada de um ativo de capital, definida a partir de sua capacidade de se reproduzir e ainda gerar um excedente, em termos de si mesmo;

b) a avaliação em função de si mesma deve ser reconhecida socialmente; portanto, os rendimentos prováveis devem ser descontados à taxa de juros monetária que converte o "valor" deste ativo no dinheiro;

c) a variação esperada do poder de compra dos ativos, admitidas flutuações no valor do dinheiro.

Estes três tipos de avaliação conformam o que Keynes definiu como o preço de demanda dos ativos. Ele estava particularmente interessado nas condições em que esta complexa avaliação da riqueza capitalista favoreceria:

a) a colocação em operação de um dado estoque de riqueza produtiva, o que vai depender da avaliação do custo de uso e do preço da oferta;

b) a decisão de incorporar ao estoque de capital existente um novo capital real, o que tem como condição específica que o preço da demanda do ativo em questão seja superior ao seu preço de oferta, isto é, ao custo de substituição dos ativos de capital da mesma classe.

Ou seja, Keynes estava interessado em determinar o sistema de preços dos ativos, a valorização das várias classes de riqueza e as condições que podem proporcionar variações de fluxos de nova riqueza real, de produção corrente e de emprego.

A ideia de que Keynes supunha um baixo grau de substituição entre os ativos reais ou bônus de longo prazo e o dinheiro deve ser qualificada. No âmbito das expectativas convencionais a substituição ocorre naturalmente dentro do estoque de riqueza dos agentes, segundo o movimento dos *portfólios*, correspondendo à expectativa de relativa estabilidade em seus preços. Neste caso, a rentabilidade esperada pela posse das várias modalidades de riqueza pode ser igualada na margem. Keynes observa, porém, que este estado não pode ser garantido e que a acumulação privada da riqueza, a descoordenação e a anarquia das decisões podem despertar o temor no futuro, o que tenderá a provocar a concentração da preferência dos detentores de direitos sobre a riqueza em um único ativo, imaginariamente dotado da propriedade do valor absoluto, no sentido de uma capacidade aquisitiva e liberatória invariável agora e no futuro.

Os movimentos de "carteira", na magnitude em que seriam requeridos para o capital real, estão bloqueados do ponto de vista social. A reação se dá na taxa de conversão da riqueza e nos preços de demanda dos ativos. Por outro lado, os ajustes marginais de carteira que, em uma situação semelhante à que antes descrevemos, podiam ser acomodados pela contração de novos fluxos (investimentos) e pela política de gasto e dívida do Estado, podem não bastar para neutralizar a ameaça que recai sobre o estoque da riqueza como um todo.

Por estas razões, um rompimento do estado de confiança faz recair de uma forma absoluta sobre o dinheiro a esperança de preservação do valor da riqueza. Isto significa que os detentores de direitos sobre a riqueza são levados a supor a existência de uma medida e forma do enriquecimento que não esteja sujeita à contestação de ninguém, isto é, que seja socialmente reconhecida. Em qualquer economia em que o enriquecimento privado seja o critério da produção, a existência desta forma geral da riqueza, da renda e do produto é incontornável. A ruptura do estado de confiança, isto é, das convenções que vinham regendo um certo estado da economia, significa que os produtores privados não podem mais continuar tomando suas decisões – de produção e de investimento – sem levar em conta a incerteza radical em que estão mergulhados. Este é o estado que contrasta com o de "expectativas convencionais", no qual os agentes se comportam como se a incerteza não existisse e como se o presente constituísse a melhor avaliação do futuro, seguida convencionalmente por todos. A aderência às "expectativas convencionais" constitui a própria base sobre a qual se dão os movimentos cíclicos ou a instabilidade do investimento, bem como seus desdobramentos do ponto de vista do endividamento, risco e acomodação dos *portfólios*. No quadro de rompimento do estado convencional de formação das expectativas, a questão que Keynes procurou levantar foi a da contradição entre o enriquecimento privado e a criação da nova riqueza para a sociedade (crescimento das inversões em capital real). Procurou demonstrar que a forma assumida pela crise tende a levar ao limite o impulso de enriquecimento privado, ao ponto de torná-lo antissocial devido à paralisia que impõe ao investimento, à renda e ao emprego.

5.4 FLUXOS (RENDA) E ESTOQUES (RIQUEZA)

A renda nacional é o fluxo criado pelo gasto de investimento e de consumo, o próprio valor em movimento. A contraposição e simbiose entre essas formas do valor existe dentro do processo de produção: a busca pela competitividade e controle dos mercados apoia-se nos ganhos de produtividade do trabalho mediante a introdução de novas gerações de capital fixo, matérias-primas, peças e componentes em detrimento do número de trabalhadores (trabalho vivo), ao mesmo tempo em que depende deste último para a produção e realização do valor.

Os economistas Wynne Godley e Marc Lavoie partem da macroeconomia keynesiana para construir um modelo dinâmico no qual os "fluxos de fundos" promovem mudanças de composição nos estoques de riqueza. Ativos de uns são passivos de outro, ou seja, dívidas de uns são direitos de outros. As ações preferenciais são direitos que conferem prioridade aos rendimentos da empresa e as ações ordinárias conferem direitos a almejar o controle da propriedade. As famílias adquirem ao longo do tempo depósitos à vista, títulos do governo, ações e títulos de dívida emitidos pelos bancos ou diretamente nos mercados de capitais pelas empresas. São formas incontornáveis de acumular riqueza em uma economia monetária. As empresas emitem ações e se endividam junto aos bancos e demais intermediários financeiros para colher os fundos necessários para o financiamento de suas atividades – aquelas necessidades que excedem os lucros retidos. Os governos financiam os gastos emitindo títulos públicos, em estreita cooperação com os Bancos Centrais que regulam as condições de liquidez do mercado monetário mediante a recompra diária dos papéis elegíveis, quer do governo, quer do setor privado.

Os bancos comerciais e demais intermediários financeiros operam no espaço criado pela atuação garantidora dos Bancos Centrais e regulam a oferta de crédito para o setor empresarial não financeiro amparados na "criação" de passivos, depósitos à vista e, subsidiariamente, no endividamento junto ao público. As instituições financeiras não bancárias alavancam as posições ativas nos passivos contraídos nos mercados monetários atacadistas.

A inter-relação entre os balanços – ativos e passivos – dos agentes relevantes, bancos, empresas, famílias, governo e setor externo, coloca as instituições financeiras na cúspide dos processos de decisão de gasto, formação da renda e gestão dos estoques de ativos gerados. Os bancos e demais instituições financeiras exercem as prerrogativas de alavancar empréstimos para gerar depósitos, criar moeda e acomodar as reconfigurações nos direitos de propriedade (ações e títulos de dívida) que nascem e se transformam no processo de acumulação do valor e da riqueza. Simplificadamente, o movimento vai da criação de liquidez – mediante a concessão de crédito novo para financiar os gastos de investimento e de consumo – para a geração da renda, com a consequente acumulação de

CAPÍTULO V - A MACROECONOMIA DE MARX, KALECKI E KEYNES

ativos e passivos nos balanços dos agentes. Godley e Lavoie, ao analisarem o fluxo de fundos e as mudanças na composição dos estoques entre o início e o término de cada período, introduzem o tempo histórico na dinâmica capitalista: "Começamos cada período com uma configuração dos estoques que se altera por força dos novos fluxos gerados ao longo do período. O sistema não gera tendências ao equilíbrio, tampouco ao desequilíbrio, mas uma sequência de transformações nos balanços de bancos, empresas, governos, famílias e setor externo".

A análise sequencial da dinâmica entre fluxos e estoques permite esclarecer os processos de "desequilíbrio" nas relações entre riqueza e renda e revela que a concentração da riqueza nas mãos dos proprietários – rentistas eleva a propensão marginal a poupar para cada nível de renda agregada, o que deprime o gasto privado, bem como aprofunda a desigualdade na distribuição de renda.

O sistema financeiro em sentido amplo inclui as bolsas de valores, os bancos de investimento e os mercados monetários atacadistas, onde famílias e empresas depositam seus saldos de curto prazo com direito a resgate automático. As instituições que compõem o chamado mercado financeiro também são responsáveis pela avaliação e negociação diária em mercados especializados do *estoque* de direitos de propriedade e de títulos de dívida nascidos dos *fluxos* anteriores de financiamento ao gasto em novos ativos reprodutivos ou acumulados a partir dos créditos destinados à compra de ativos já existentes.

Para examinar os efeitos patrimoniais deste processo de aumento do investimento, da renda, dos lucros e a manutenção das condições de liquidez e do crédito, consideremos que em um determinado momento há um conjunto de empresas que está realizando o gasto de investimento e já exerceu a demanda de financiamento. Este conjunto de empresas está a realizar um "déficit" financiado pelos bancos. Ao mesmo tempo, um outro conjunto está colhendo os resultados de suas decisões anteriores de investimento, isto é, realizam um superávit, um *surplus*. É a obtenção deste superávit corrente que permite simultaneamente: a) servir às dívidas contraídas para o financiamento dos ativos formados no passado; b) acumular fundos líquidos dos quais se nutre o sistema bancário, enquanto intermediário financeiro, aproximando as unidades deficitárias das superavitárias.

O prosseguimento do processo de aumento do investimento e do endividamento permite, portanto, servir a dívida passada. Isto significa que a economia deve gerar dívida no presente para que a dívida passada possa ser honrada. O investimento – necessariamente apoiado na expansão do crédito – gera um rastro de dívidas.

A notória instabilidade do capitalismo decorre fundamentalmente do caráter problemático da decisão de adquirir novos bens de produção mediante estimativas a respeito de seu rendimento futuro. É uma aposta realizada em condições de incerteza. Como regra geral, as etapas de contração do emprego e da renda decorrem da queda do investimento agregado das empresas privadas. Se o investimento privado declina, não é recomendável que o investimento público também se retraia, porquanto a redução simultânea do gasto privado e do gasto público vai fatalmente afetar o emprego, o pagamento de salários e o pagamento de impostos.

Diante da queda do faturamento, as empresas encolhem os gastos, demitem trabalhadores com o propósito de reduzir o seu próprio endividamento, mas do ponto de vista macroeconômico isto leva necessariamente ao aumento da dívida porque dificulta para o conjunto da economia o pagamento do serviço da dívida passada. Ou seja, se cada unidade individualmente decide diminuir seu déficit corrente, o resultado poderá ser um agravamento da situação patrimonial do conjunto das empresas, bem como da capacidade de servir os compromissos correntes, diante da rigidez dos custos financeiros da dívida contratada no passado. Caso a economia enverede na senda da deflação, será inevitável a elevação do grau de endividamento e o valor dos encargos financeiros. Já a inflação moderada, desacompanhada da indexação generalizada dos contratos de financiamento, promove a desvalorização das dívidas. Não por acaso, nesse momento, as políticas de metas nos países desenvolvidos estão empenhadas no aumento da inflação de bens e serviços para provocar a desvalorização das dívidas.

Cabe destacar o papel dos rentistas e o comportamento de suas rendas e de seu consumo. Preservados do processo que conduz à queda da acumulação de lucros e ao simultâneo aumento do grau de endividamento das empresas, os rentistas não contrabalançam esses resultados:

CAPÍTULO V - A MACROECONOMIA DE MARX, KALECKI E KEYNES

resistem à queda de suas rendas e o desejo de acumular riqueza subordina a decisão de consumo.

O comportamento das famílias típicas assalariadas é oposto. Porém aqui a formação de "déficits" é contraditória com a queda da renda derivada do declínio do investimento. Exceto nos momentos de crescimento da renda ou de inovações financeiras que permitam a antecipação do consumo, as famílias não têm autonomia para decidir o gasto e compensar a queda do investimento. Em suma, o gasto derivado dos salários depende da disposição dos capitalistas de ampliar o volume de emprego e da massa de salários. O que se pretende ressaltar é, neste caso, o caráter eminentemente passivo do gasto dos trabalhadores.

Estas considerações fundamentam a conclusão de que um processo de queda do endividamento, numa conjuntura de redução do investimento, só poderá ocorrer com a intervenção de um agente externo disposto a incorrer em déficit e dívida nova.

5.5 KEYNES, A RADICALIDADE INCOMPREENDIDA

Nos debates que se seguiram à publicação da *Teoria Geral*, Keynes não conseguiu demonstrar a seus críticos e comentadores – Hayek e Hicks entre eles – que o princípio da demanda efetiva era uma ruptura radical com os postulados da chamada teoria clássica. Na tentativa de não assustar a tigrada e a si mesmo, Keynes, *enfant terrible* do *establishment* britânico, refugiou-se numa argumentação contemporizadora que escondeu a natureza revolucionária dos conceitos de demanda efetiva e de preferência pela liquidez. Keynes procurou traduzir para a linguagem de seus críticos a inversão radical produzida nas relações de determinação entre os fluxos de gasto e renda, investimento e poupança.

Na *History of Economic Analysis*, Schumpeter surpreende uma concessão de Keynes à ortodoxia de seu tempo. Na caminhada entre o *Treatise on Money* e a *Teoria Geral*, Maynard abre o flanco para John Hicks construir o modelo IS/LM. Apesar de ter assegurado sua renúncia ao quantitativismo, Keynes, na *Teoria Geral*, não conseguiu se libertar completamente de suas amarras. Ao tratar M (a oferta de moeda exógena) como variável independente, prestou reverência à Teoria Quantitativa.

Joseph Schumpeter chamou a teoria que estuda a engrenagem financeira do capitalismo de *Teoria Creditícia da Moeda* e não *Teoria Monetária do Crédito*. Escapando de suas reverências walrasianas, no seu *Treatise on Money*, Schumpeter ridiculariza a Teoria Quantitativa: "falar de uma *quantidade* de unidades de conta faz tanto sentido quanto dizer que um certo número de unidades métricas está presente em todas as extensões que devem ser medidas".

Para Maynard e Schumpeter a economia em que vivemos ou tentamos sobreviver não é uma economia simples de intercâmbio de mercadorias. É uma economia mercantil, monetária e capitalista. Nela as decisões de produção envolvem inexoravelmente a antecipação de dinheiro agora para receber mais depois.

A mobilização de recursos reais, bens de capital, terra e trabalhadores depende de adiantamento de liquidez e assunção de dívidas. O movimento dos mercados começa e termina com dinheiro, dinheiro em suas funções cruciais de poder de compra universal e *forma geral da riqueza*. Mercadorias, ativos reais e financeiros são avaliados monetariamente nos balanços de bancos, empresas, famílias, sempre arriscados a "perder valor" no momento da conversão em dinheiro.

Jo Mitchell argumenta corretamente que Schumpeter desenha um sistema de contabilidade baseado na divisão da economia entre famílias, empresas, bancos e o banco central. A partir dessas relações entre os *balanços* dos protagonistas do processo econômico capitalista, Schumpeter estuda o papel do sistema bancário como um lócus de compensação entre débitos e créditos. O Banco Central é a cúspide desse sistema, a última instância da compensação e regulação das transações que passam pelo sistema bancário. É essa forma sistêmica de coordenação que confere ao sistema bancário o poder de criar moeda: a emissão de novos créditos cria simultaneamente depósitos.

Ao concentrar capital monetário, os bancos ganham a prerrogativa de abastecer as necessidades de liquidez da economia. Isso impõe as regras de gestão monetária: a moeda de crédito, ao mesmo tempo em que transforma os bancos em emissores de meios de pagamento, também

CAPÍTULO V - A MACROECONOMIA DE MARX, KALECKI E KEYNES

concede uma centralidade incontornável ao Banco Central. Essa instituição estabelece as mediações entre os bancos privados e a soberania monetária do Estado. O Banco Central cuida de regular as delicadas relações entre a moeda como bem público – ou seja, referência "confiável" para as decisões de endividamento destinado a prover liquidez à produção, ao consumo e ao investimento – e sua "outra" natureza, a de objeto do enriquecimento privado.

Inspirado em Keynes, Hyman Minsky procura mostrar que a concorrência entre os possuidores de riqueza afeta as avaliações dos que buscam a maximização do ganho privado. Para ele, as decisões privadas – tomadas em condições de incerteza radical – estão sempre sujeitas à má avaliação do risco e à emergência de comportamentos coletivos de euforia que conduzem à fragilidade financeira e a crises de liquidez e de pagamentos. As decisões capitalistas supõem, portanto, a especulação permanente a respeito do futuro, o que envolve a contínua reavaliação do presente.

"As decisões financeiras", diz Minsky, "são tomadas em torno de um futuro imaginado por credores e devedores como resultado de negociações em que são trocadas informações e desinformações. O resultado reflete opiniões sobre um projeto particular à luz dos sucessos e fracassos da economia no passado recente e no mais distante (...). A incerteza em relação ao modelo adequado para formar as expectativas pode ser maior se muitos anos se passaram desde a última crise financeira (...). Essa incerteza fundamental significa que as margens de segurança calculadas pelos agentes devem variar".

A função *reserva de valor* é sobremaneira incômoda e intratável nos modelos de equilíbrio que tratam o dinheiro como simples meio de troca. Esses modelos não contemplam o dinheiro em sua natureza essencial de *forma geral da riqueza*. A eliminação do verdadeiro espírito do demônio monetário, o fetiche da liquidez, permite às hipóteses de Equilíbrio Geral ignorarem suas diabruras, os episódios de euforia e os colapsos "baixistas".

Na *Teoria Geral*, Maynard chamou a atenção para a importância das relações contraditórias entre o fetiche da liquidez – a cruel tentação do demônio – e as decisões de investimento, a aquisição de novos bens de capital. O preço de demanda dos bens instrumentais é calculado mediante o desconto dos rendimentos esperados pela taxa de juro de mercado, a taxa que exprime a disposição dos proprietários de riqueza de abrir mão da liquidez. O capítulo XVII da *Teoria Geral* é uma digressão sobre as decisões sobre a posse da riqueza na economia capitalista. A avaliação prospectiva dos ativos reais e financeiros está subjugada à incerteza radical quanto à possibilidade da conversão dos valores *à forma geral da riqueza*.

Diz Keynes: "Este é o resultado inevitável dos mercados financeiros organizados em torno da chamada 'liquidez'. Entre as máximas da finança ortodoxa, seguramente nenhuma é mais antissocial que o fetiche da liquidez, a doutrina que diz ser uma das virtudes positivas das instituições investidoras concentrar seus recursos na posse de valores 'líquidos'. Ela ignora que não existe algo como a liquidez do investimento para a comunidade como um todo. A finalidade social do investimento bem orientado deveria ser o domínio das forças obscuras do tempo e da ignorância que rodeiam o nosso futuro. O objetivo real e secreto dos investimentos mais habilmente efetuados em nossos dias é 'sair disparado na frente' como se diz coloquialmente, estimular a multidão e transferir adiante a moeda falsa ou em depreciação".

E prossegue: "Esta luta de esperteza para prever com alguns meses de antecedência as bases de avaliação convencional, muito mais do que a renda provável de um investimento durante anos, nem sequer exige que haja idiotas no público para encher a pança dos profissionais, a partida pode ser jogada entre estes mesmos. Também não é necessário que alguns continuem acreditando, ingenuamente, que a base convencional de avaliação tenha qualquer validade real a longo prazo. Trata-se, por assim dizer, de brincadeiras como o jogo do anel, a cabra-cega, as cadeiras musicais. É preciso passar o anel ao vizinho antes de o jogo acabar, agarrar o outro para ser por este substituído, encontrar uma cadeira antes que a música pare. Esses passatempos podem constituir agradáveis distrações e despertar muito entusiasmo, embora todos os participantes saibam que é a cabra-cega que está dando voltas a esmo ou que, quando a música para, alguém ficará sem assento".

CAPÍTULO V - A MACROECONOMIA DE MARX, KALECKI E KEYNES

5.6 RISCO SISTÊMICO E CRISE NOS MERCADOS FINANCEIROS

Risco sistêmico pode ser definido como "a possibilidade latente – desconhecida pelos participantes do mercado, ou contra a qual estes não se protegeram – de que um evento possa ocorrer, movendo a economia na direção de um equilíbrio *socialmente ineficiente*". O professor Michel Aglietta, um dos mais eminentes especialistas em assuntos financeiros, assessor do Banco Central Europeu, ensina que são duas as hipóteses gerais das teorias sobre a possibilidade de ocorrência de eventos sistêmicos numa economia monetária:

a) os chamados novo-keynesianos privilegiam informação assimétrica em mercados de crédito, o que pode conduzir à subestimação do risco e ao subsequente sobre-endividamento, fazendo surgir a fragilidade financeira, que resulta em um aumento acentuado no *custo* da intermediação financeira/ou em uma contração endógena na oferta de crédito (*credit crunch*).

b) O economista americano Hyman Minsky sublinhou o papel da formação de preços de ativos em condições de liquidez restrita, descrevendo com propriedade a alternância de euforia e desilusão- inerente às economias capitalistas – geradas por fortes interações subjetivas entre os participantes do mercado – capazes de provocar comportamentos coletivos como o contágio e o pânico.

Para o primeiro grupo de autores, o risco sistêmico pertence à categoria de fenômenos econômicos que decorrem de falhas de coordenação dos mercados. Falhas de mercado, na linguagem técnica, dizem respeito a déficits insuperáveis no abastecimento de informações aos agentes envolvidos numa transação.

No caso dos mercados financeiros, tais falhas são produzidas por *assimetria de informação*, geradora de seleção adversa e moral *hasard*. A assimetria de informação é *inerente* à relação credor-devedor: o bem transacionado não é um valor real disponível, mas uma promessa, o que dificulta aos contratantes avaliar adequadamente as condições e as intenções do outro protagonista. Haverá *seleção adversa* quando o credor – incapaz de avaliar corretamente o risco de concessão dos empréstimos – discrimina os bons devedores potenciais, elevando o custo do crédito. O *risco moral* é fruto da incapacidade do prestamista de supervisionar corretamente o uso do crédito por parte do devedor, que pode estar empenhado em aplicar o dinheiro em operações de maior risco.

Já para os minskianos, que reclamam a legítima descendência keynesiana, a *concorrência* entre os possuidores de riqueza determina o resultado da ação dos indivíduos racionais em busca da maximização do ganho privado. Para eles, as decisões privadas são tomadas em condições de incerteza radical e, por isso, estão sempre sujeitas à subavaliação do risco e à emergência de comportamentos coletivos de euforia que conduzem à fragilidade financeira e a *crises de liquidez e de pagamentos*.

Numa economia com estas características, tanto a produção de mercadorias quanto a acumulação de ativos são uma *aposta*, em condições de incerteza, na capacidade das *formas particulares de riqueza* de, no momento da conversão, preservarem seus valores em dinheiro, proporcionando, ao mesmo tempo, um ganho ao capitalista. A avaliação positiva quanto à possibilidade de ganhos ou de valorização monetária de seu patrimônio leva os produtores e detentores de riqueza à decisão de colocar em funcionamento a capacidade produtiva existente e/ou de ampliar o estoque de riqueza produtiva ou mobiliária sob seu controle.

Em cada momento, podemos imaginar a existência na economia de uma estrutura de ativos resultantes das decisões passadas à qual estão se agregando os resultados das decisões presentes quanto à posse de ativos de capital e à forma de financiá-los. Estes ativos são genericamente direitos à renda futura. A posse destes ativos foi obtida mediante contratos de dívida (prazos, condições e risco), que não exigem apenas pagamentos certos e fixos, mas podem incluir pagamentos variáveis de acordo com os resultados da operação corrente dos ativos.

Os contratos de dívida sempre mereceram uma atenção especial porque embora amparem o financiamento de ativos de rendimento incerto, obrigam a pagamentos certos e regulares. Isto corresponde à

CAPÍTULO V - A MACROECONOMIA DE MARX, KALECKI E KEYNES

natureza contratual (relativa ao "capital propriedade") das dívidas e pagamentos de juros. Nesse sentido, a estabilidade das condições contratuais significa uma rigidez dos compromissos correntes, que equivale, como observou Keynes, a uma duplicação do risco. Assim, a economia capitalista pode ser vista como um sistema de balanços inter-relacionados que registra a acumulação de ativos e de dívidas. Estes ativos e estas dívidas possuem diferentes graus de liquidez, ou seja, possibilidades maiores ou menores de serem "transformados" no ativo líquido de aceitação geral e imediata.

O que foi dito acima procura sublinhar que, numa economia monetária, coordenada pela moeda de crédito, os possuidores de riqueza não estão sujeitos, primordialmente, à chamada "restrição orçamentária," senão a duas outras restrições fundamentais: a de liquidez e a de pagamento. A restrição de liquidez tem um significado preciso e diz respeito à norma fundamental da economia monetária: a posse de ativos de riqueza está determinada pela comparação entre as vantagens de se conservar a riqueza sob a forma "líquida" e a perspectiva de adquirir um ativo, novo ou preexistente, com o objetivo de recuperar o seu valor acrescido de um rendimento. Do ponto de vista individual, a situação de "iliquidez" vai ter uma duração igual ao período que decorre entre a decisão de "gastar" e a venda do ativo pelo preço "declarado". De um ponto de vista puramente formal, o ativo será mais líquido quanto maior for a possibilidades de negociá-lo em mercados organizados sem perda de capital.

A liquidez não é, porém, uma propriedade intrínseca de qualquer ativo particular, mas é gerada pela dinâmica competitiva numa economia monetária, em que as decisões são tomadas em condições de incerteza. Trata-se, portanto, de um fenômeno *sistêmico*, no sentido de que é resultado de um ambiente em que a racionalidade individual é exercida mediante decisões *estratégicas* dos protagonistas, apoiadas em expectativas a respeito das expectativas dos demais.

Como já foi dito, a "aposta" dos proprietários de riqueza supõe que serão respeitadas as regras que garantem a "credibilidade" do padrão monetário, o que significa, fundamentalmente, o estabelecimento de limites ao refinanciamento das posições devedoras que sustentam a posse de ativos "desvalorizados" ou ilíquidos.

Um "estado negativo das expectativas" pode envolver não só uma avaliação pessimista quanto à possibilidade de se alcançar a recompensa da conversão de sua mercadoria ou ativo particular na "mercadoria universal". Mas há também o temor de que, chegando à transfiguração desejada, o possuidor de riqueza receba dinheiro cujo "prêmio de liquidez" está ameaçado por práticas "abusivas" de monetização das dívidas.

Os limites ao refinanciamento das posições devedoras não podem ser definidos a partir de critérios absolutos e imutáveis, mas dependem das *convenções* que refletem a correlação de forças entre credores e devedores e – trataremos disto mais à frente – *da percepção do banqueiros centrais de que os riscos de liquidez ou de solvência gerados endogenamente pelo funcionamento dos mercados podem precipitar uma crise sistêmica.*

Nos sistemas monetários e financeiros constituídos depois da Segunda Guerra mundial, o clima favorável à manutenção do pleno-emprego e às políticas de desenvolvimento permitiu que o pêndulo se inclinasse, durante um bom tempo, para o lado dos devedores. De qualquer forma, os regimes monetários, enquanto conjunto de regras e convenções que sustentam um certo clima de confiança, estão sujeitos a constantes transformações que decorrem da natureza dupla e contraditória do dinheiro e dos bancos no capitalismo. As crises monetárias – agudas ou prolongadas – revelam que o caráter central e centralizador da moeda está submetido à ameaça permanente da concorrência entre os agentes privados que buscam incessantemente a acumulação da riqueza sob a forma monetária.

As decisões capitalistas supõem, portanto, a *especulação* permanente a respeito do futuro, o que envolve a contínua reavaliação do presente. Tais decisões são, portanto, intrinsecamente intertemporais e não têm bases firmes, isto é, não há "fundamentos" que possam livrá-las da incerteza e da possibilidade do risco sistêmico. Apoiados em convenções e *constrangidos pela concorrência,* os detentores de riqueza são obrigados a tomar decisões que podem dar origem a situações de "equilíbrio múltiplo" (frequentemente

CAPÍTULO V - A MACROECONOMIA DE MARX, KALECKI E KEYNES

ineficientes do ponto de vista econômico e social) ou a dinâmicas autorreferenciais que culminam na *exuberância irracional*, na decepção das expectativas, na crise e na desvalorização da riqueza.

A economia monetária competitiva supõe a existência de agentes especializados na avaliação da qualidade dos títulos de dívida e de propriedade, na criação e administração da liquidez e, ao mesmo tempo, capazes de enfrentar uma eventual interrupção na cadeia de pagamentos.

Estas funções especializadas historicamente vêm sendo delegadas pelo conjunto do estrato mercantil-capitalista ao *sistema bancário* e, mais recentemente, às demais instituições reguladoras e de avaliação de risco.

Os bancos comerciais são, na verdade, instituições singulares: responsáveis pela criação de moeda, dispõem da faculdade de avançar poder de compra, até então inexistente, aos proprietários de riqueza, a partir da avaliação dos riscos de crédito. Os bancos não são simples intermediários financeiros, mas detêm a prerrogativa de conceder empréstimos que excedem o valor de seus depósitos. A capacidade dos bancos, em conjunto, de expandir o crédito e, portanto, de criar depósitos que servem como meios de pagamento, vai depender, numa economia fechada, da demanda do público e do comportamento das reservas em moeda estatal mantidas junto ao Banco Central. A taxa de desconto e as operações de mercado aberto, manejadas pelo Banco Central, são a cúspide desse sistema de pagamentos e de provimento liquidez, pois permitem às autoridades monetárias alterar o volume e o custo de acesso ao provimento de liquidez do Banco Central, tornando mais estritas ou relaxadas as *condições* em que são ofertados os novos fluxos de crédito ou negociados os títulos de dívida e demais ativos financeiros já existentes.

No entanto, o êxito ou fracasso das manobras do Banco Central está condicionado às alterações no "estado de expectativas" dos possuidores de riqueza. Keynes no *Treatise on Money* considerava fundamental para o sucesso da política monetária a divisão de opiniões entre altistas e baixistas. Na Teoria Geral esse fenômeno encontrou uma definição mais precisa no conceito de *preferência pela liquidez*: "a curva de preferência pela liquidez define todos os valores possíveis da taxa nominal de juros de longo prazo, consistentes com o equilíbrio nos mercados de títulos, dadas distintas quantidades de moeda (...). Ela ilustra estados de equilíbrio virtuais entre a moeda que os agentes desejam reter, antecipando uma subida na taxa de juros, e os títulos demandados em antecipação ao declínio de seus preços, dado o estado de expectativas".

O movimento da taxa de juros afeta simultaneamente o valor das dívidas já emitidas ou em processo de emissão e o valor presente dos fluxos esperados de rendimentos dos ativos (instrumentais e financeiros), provocando alterações nas relações entre credores e devedores e aumentando ou reduzindo *os riscos de pagamento*.

Isto significa que, quando a opinião dos mercados está dividida, não ocorrem alterações no "lado monetário" capazes de perturbar a trajetória atual da economia. Se, ao contrário, as opiniões se concentram numa só direção, a ação do Banco Central pode não ser eficaz para estabilizar a economia. Se, por exemplo, há uma *polarização de opiniões*, em torno de uma posição "altista", no auge de um ciclo de crédito, a tentativa de contrair a liquidez mediante uma elevação das taxas de juros pode não funcionar. Se o aumento é considerado insuficiente, os mercados reagirão com maior exuberância. Se excessivo, provocará a queda de preços e, provavelmente, uma crise financeira.

É o sistema bancário que deve assumir as funções e administrar simultaneamente os dois riscos, o de liquidez e o de pagamento. O sistema bancário, incluído o Banco Central, deve respeitar as regras "convencionadas" que o obrigam a funcionar como redutor de riscos e de incerteza e como gestor dos limites impostos aos produtores e detentores privados de riqueza, enquanto candidatos a acumular riqueza universal.

Por isso a prerrogativa de criação de moeda pelos bancos privados está subordinada às regras de "conversibilidade", isto é, das garantias que asseguram o amparo do gestor da "moeda central", percebida pelos agentes privados como a forma final de liquidação dos contratos. A exigência de conversibilidade das moedas bancárias (de emissão "privada" mas de aceitação geral) na moeda estatal revela o duplo caráter dos bancos (e do dinheiro) na economia capitalista: empresas privadas que visam maximizar

CAPÍTULO V - A MACROECONOMIA DE MARX, KALECKI E KEYNES

a rentabilidade de seu capital num ambiente de concorrência regulado por instituições responsáveis pela gestão da moeda e do sistema de pagamentos.

Esta "conversibilidade" não está garantida *a priori*. Só pode ser testada no momento em que se manifesta a *desconfiança* no caráter público da moeda emitida privadamente. Isto pode acontecer sob a forma de mudanças abruptas nas avaliações dos mercados quando se vislumbra a possibilidade de deterioração da qualidade dos ativos e cresce o risco – sempre presente nestas circunstâncias – de uma corrida contra o passivo bancário, constituído predominantemente por depósitos à vista. No entanto, nas etapas de prosperidade do ciclo econômico, este constrangimento de conversibilidade parece remoto, dando a aparência de que todas as moedas bancárias tem o mesmo *status* e são conversíveis nas mesmas condições. Modernamente, os Bancos Centrais – enquanto intermediários entre o poder soberano do Estado e o sistema bancário privado – procuram estabelecer, além de regras prudenciais e sanções, normas gerais de acesso dos bancos à liquidez na moeda central. Ao mesmo tempo em que impõe regras, sanções e condicionalidades, o Banco Central também funciona como um redutor de riscos e de incerteza para os bancos privados, através dos instrumentos usuais de abastecimento de liquidez. *Nos momentos críticos, em que pode estar comprometida a cadeia de pagamentos da economia e, portanto, ameaça irromper uma crise sistêmica, ressalta o seu papel de supervisor e administrador do sistema bancário, ou seja, de "emprestador" de última instância.*

5.7 DESREGULAMENTAÇÃO, INTEGRAÇÃO FINANCEIRA E A EMERGÊNCIA DO RISCO CAMBIAL

Num sistema internacional "regulado", como o de Bretton Woods, os processos de ajustamento dos balanços de pagamentos deveriam funcionar mais ou menos assim: taxas de câmbio fixas, mas ajustáveis; limitada mobilidade de capitais; e demanda por cobertura de déficits (problemas de liquidez) atendidas, sob condicionalidades, por meio de uma instituição pública multilateral. O câmbio e os juros, nesse sistema, são preços-âncora, cuja relativa estabilidade e previsibilidade constituem-se em guias para a formação das expectativas dos possuidores de riqueza.

Nos últimos vinte anos, a inovação financeira assumiu uma velocidade espantosa, acompanhando a desregulamentação dos mercados e *crescente liberalização dos movimentos de capitais entre as principais praças de negócios*. A aceleração das inovações foi, sem dúvida, uma resposta ao aumento da volatilidade dos preços dos ativos financeiros denominados em moedas distintas. Num sistema de taxas flutuantes, ampla e rápida mobilidade de capitais e provimento de liquidez e cobertura de riscos efetuadas a partir dos mercados – mediante a ação de agentes privados especializados – as taxas de juros e de câmbio se tornam "endógenas" e ficam mais sensíveis às bruscas mudanças de expectativas dos possuidores de riqueza. Não é de se espantar que nesse sistema seja mais frequente a ocorrência de problemas de liquidez, "resolvidos" por meio de amplas flutuações nos preços dos ativos e das moedas.

As flutuações mais frequentes e mais amplas das taxas de juros e de câmbio, no âmbito de um processo de desregulamentação e de abertura dos mercados, estimularam a criação de novos instrumentos destinados a repartir os riscos de mercado, de liquidez e de pagamento. A criatividade dos mercados concentrou-se sobretudo nas tentativas de reduzir os riscos de mercado, isto é, de variações abruptas dos preços dos ativos e, portanto, de minimizar as perdas de rendimento ou de capital.

Os chamados derivativos são na verdade instrumentos de repartição de risco. A sua existência sob forma padronizada, em mercados específicos, amplia as possibilidades de *hedge* dos agentes. Mas, como é óbvio, esses instrumentos apenas repartem, mas não eliminam o risco. É notório que os instrumentos transacionados nos mercados de futuros não podem neutralizar o chamado risco sistêmico, sobretudo quando irrompe uma flutuação pronunciada e não antecipada nos preços dos ativos subjacentes, mesmo que as regras prudenciais, as garantias e chamadas de margem, determinadas pelos administradores dos mercados de futuros, venham sendo impostas e executadas adequadamente.

Os Bancos Centrais e demais autoridades reguladoras estão, portanto, diante da *intensificação da concorrência* nos mercados financeiros, promotora de uma rápida transformação das práticas de intermediação,

CAPÍTULO V - A MACROECONOMIA DE MARX, KALECKI E KEYNES

dos métodos de avaliação de ativos e dos riscos associados, bem como de uma alteração da hierarquia e do papel das instituições.

Nas economias contemporâneas, a finança direta e "securitizada" ganhou maior importância e a desregulamentação financeira rompeu os diques impostos, depois da crise dos anos 30, à atuação dos bancos comerciais. Estas transformações ampliaram a sensibilidade das decisões dos possuidores de riqueza diante das mudanças nas expectativas de flutuações nos preços dos ativos. A desregulamentação facilitou o envolvimento dos bancos com o financiamento de posições nos mercados de capitais e em operações "fora do balanço" que envolvem derivativos. Isto não só vem permitindo maior liquidez para estes mercados, mas também ensejando um elevado grau de "alavancagem" das corretoras, fundos e bancos de investimento. Quando estes agentes são surpreendidos por movimentos bruscos e não antecipados de preços, as perdas estimadas obrigam à liquidação de posições para cobertura de margem, *ampliando desmesuradamente o risco de mercado e o risco de liquidez*.

A expectativa de uma queda (ou elevação) muito abrupta e profunda dos preços dos ativos subjacentes geralmente dá origem a um forte desequilíbrio entre posições compradas e vendidas nos futuros, espreme a liquidez dos mercados, afugentando os bancos enquanto *market makers*, o que inviabiliza o seu papel "estabilizador". A polarização de opiniões termina, em geral, determinando o desfecho antecipado pela maioria dos agentes. Na ausência de um socorro tempestivo de um *emprestador de última instância,* a propagação do pânico leva inexoravelmente ao *credit crunch*, à ruptura do sistema de pagamentos e à corrida bancária.

As autoridades monetárias, representando o interesse coletivo, não *podem* deixar que *prosperem* e se aprofundem o processo de contágio, a deflação de ativos e a contração do crédito. É necessário que os bancos centrais estejam dispostos, nestas circunstâncias, a prover abundante liquidez para os mercados em crise.

O trauma num destes mercados tem enorme potencial de contaminação, provocando, em geral, fugas para moedas e ativos considerados de melhor reputação e qualidade. A crise de liquidez rebate pesadamente sobre a solvência dos emissores de ativos de maior risco. Os bancos, financiadores "finais" de posições nestes ativos depreciados, terão que digerir as perdas e, para tanto, vão tentar recompor seus níveis de capitalização e de liquidez, *restringindo a oferta de crédito para outros agentes*, inclusive aqueles mais bem situados no *ranking* de avaliação de riscos. Exemplo disso foi a espetacular subida de 400 a 1.000 pontos básicos, nos *spreads* cobrados às empresas americanas, após os episódios da Rússia, do ataque ao Brasil e da quebra do LTCM.

No caso do *hedge fund* americano – que havia apostado – com elevada alavancagem – numa convergência de preços entre papéis de países emergentes e os títulos do Tesouro americano – foi pronta a intervenção do *Federal Reserve*. A atuação do *Fed* buscou evitar que uma situação marcada pela emergência de risco sistêmico culminasse na eclosão de uma *crise sistêmica*. Isto fatalmente ocorreria, caso os administradores do LCTM tivessem que liquidar suas posições – também alavancadas – em outros mercados, para cobrir as chamadas de margem exigidas pela crescente divergência entre a evolução antecipada dos preços e aquela efetivamente observada.

5.8 AS CRISES FINANCEIRAS DO CAPITALISMO

As crises financeiras do capitalismo, desde a sua versão mercantil dos séculos XVII e XVIII até os terremotos do Terceiro Milênio, sempre envolveram o crédito fácil e a explosão de preços de um ativo – real ou financeiro – escolhido como sedutor dos cobiçosos e servidores do enriquecimento ilimitado.

O filósofo-especulador George Soros, em recente depoimento ao Congresso americano, desautorizou as teorias que tratam de analisar os mercados financeiros a partir dos pressupostos da "eficiência", ou seja, do comportamento racional dos investidores que avaliam a formação de preços dos ativos a partir dos "fundamentos". Soros sustenta que "percepções equivocadas podem levar à formação de bolhas (...) e tais movimentos reforçam as tendências prevalecentes até o momento em que a distância entre a realidade e a percepção da realidade pelo mercado se torna insustentável".

CAPÍTULO V - A MACROECONOMIA DE MARX, KALECKI E KEYNES

No livro *Manias, Panics and Crashes* o economista Charles Kindleberger faz uma autópsia dos processos maníacos que, inevitavelmente, terminam no colapso de preços e nas crises de crédito. Assim foi em Amsterdã, no episódio da Tulipomania, um antepassado modesto dos grandes *crashes* dos séculos XX e XXI. Entre 1634 e 1637, os investidores holandeses, muitos de classe média, especularam furiosamente com a possibilidade de negociar a preços cada vez mais elevados os bulbos de tulipa, que, ademais, tinham a vantagem de exigir muito pouco ou nada para a sua reprodução. Na base das expectativas exacerbadas a respeito da evolução do preço das tulipas estava o Banco de Amsterdã e sua capacidade de estender o crédito e suportar o avanço da especulação.

Na história das finanças é comum a imagem de investidores inconformados com os resultados da própria cupidez. Desde a Tulipomania de 1634, passando pelas crises cada vez mais frequentes do século XVIII (como a Bolha dos Mares do Sul, em 1720), e chegando aos desastres financeiros do século XXI, o que mais impressiona o observador é a semelhança entre episódios tão diferentes.

Primeiro é a fantasia do enriquecimento rápido, sem causa, milagroso, fruto de alguma esperteza inata ou habilidade singular; segundo, a formação de um consenso sobre o ineditismo das circunstâncias que parecem justificar a valorização rápida dos papéis (sempre há uma "nova economia"); terceiro, o envolvimento dos bancos na especulação, fornecendo crédito abundante para alimentar a euforia: quarto, o avanço do endividamento dos investidores, disfarçado pelos valores cada vez mais inflados da riqueza financeira ou imobiliária: quinto, a "correção de preços", decepção e quebradeira.

O mundo das finanças viveu uma relativa calmaria nas três décadas que se seguiram à Segunda Guerra Mundial. Há quem sustente que a escassez de episódios críticos deve ser atribuída, em boa medida, à chamada "repressão financeira". Esta incluía a prevalência do crédito bancário sobre a emissão de títulos negociáveis (*securities*), a separação entre os bancos comerciais e os demais intermediários financeiros, controles quantitativos do crédito, tetos para as taxas de juro e restrições ao livre movimento de capitais.

A desregulamentação e liberalização dos mercados financeiros e cambiais se iniciaram antes da ruptura do sistema de Bretton Woods e contribuíram para a sua derrocada. Desde meados dos anos 60, começaram a aparecer os primeiros sintomas de desorganização desse arranjo "virtuoso".

No que diz respeito aos sistemas monetários e financeiros, os fenômenos mais importantes, na etapa de dissolução do consenso keynesiano foram, sem dúvida: 1) A subida do patamar inflacionário, tornando insustentáveis os limites impostos às taxas de juro. 2) A criação do euromercado e das praças *offshore*, estimuladas pelo "excesso" de dólares produzido pelo déficit crescente do balanço de pagamentos dos Estados Unidos e, posteriormente, pela reciclagem dos petrodólares. 3) A substituição das taxas fixas de câmbio por um "regime" de taxas flutuantes, a partir de 1973. Os defensores das taxas flutuantes proclamavam perseguir um duplo objetivo: permitir realinhamento das taxas de câmbio e dar maior liberdade às políticas monetárias domésticas.

Já entre o fim dos anos 60 e o início dos 70, as tensões entre a regulamentação dos sistemas nacionais e o surgimento de um espaço "desregulamentado" de criação de empréstimos (e depósitos), num ambiente de inflação ascendente, haviam acarretado mudanças nas formas de concorrência bancária, provocando uma onda de inovações financeiras. A captura dos devedores do Terceiro Mundo é uma das dimensões importantes dessa primeira etapa de internacionalização do capital financeiro. Ela se inicia na segunda metade da década dos 60 e se intensifica depois do primeiro choque do petróleo e da introdução do regime de taxas de câmbio flutuantes, em 1973.

A estagflação dos anos 70 foi marcada por fortes instabilidades cambiais e monetárias. A continuada desvalorização do dólar foi acompanhada por taxas de inflação de dois dígitos nos Estados Unidos, assim como na Inglaterra e na Itália. O bom comportamento dos preços na Alemanha e no Japão valorizou o marco e o iene e suscitou a redução dos haveres em dólar na composição das reservas internacionais.

A crise da dívida de 1982 – aquela que o sábio Walter Wriston, então presidente do Citi, garantia que não podia acontecer – foi

CAPÍTULO V - A MACROECONOMIA DE MARX, KALECKI E KEYNES

deflagrada pela elevação dos juros, decidida por Paul Volker em 1979. O FMI e o governo Reagan salvaram os credores de maior porte. Deixaram a quebradeira para a periferia imprudente. Não conseguiram, no entanto, evitar, em seu próprio quintal, a falência do banco Continental Illinois e de mais 43 bancos americanos.

Em 1986, as *Saving and Loans*, antes circunscritas às hipotecas, aproveitaram a desregulamentação para curtir amor em terra estranha, como o inesquecível Osmar Santos, um clássico da narração esportiva, qualificava a situação do jogador pilhado em impedimento.

Em 1987, o *Federal Reserve* impediu a propagação do *crash* da Bolsa de Nova York com uma injeção generosa de liquidez. O *program trading* havia derramado nos mercados um caudal de ordens de venda, aparentemente desencadeadas por declarações infelizes sobre o curso do dólar pelo então secretário do Tesouro dos Estados Unidos, o arrogante e inoportuno James Baker.

Na esteira da desvalorização da moeda americana, providência que se seguiu ao chamado Acordo do Louvre, o Japão engoliu a valorização do iene, a famosa *endaka*. Sob pressão de Tio Sam, o país entrou na farra da desregulamentação financeira. Saboreou inicialmente as delícias de uma bolha imobiliária e outra no mercado de ações. A curtição durou pouco. Em 1989, os preços dos imóveis e das ações despencaram e deixaram os bancos japoneses encalacrados em créditos irrecuperáveis.

O *Bank of Japan* cortou os juros a zero. Mas as carteiras dos bancos estavam contaminadas por empréstimos podres, as empresas afogadas em capacidade ociosa, sem apetite pelo investimento, os consumidores mais temerosos do que prudentes. Sendo assim, os agentes cruciais para as decisões de demanda efetiva não tinham condições de responder às tentativas de restauração do crédito. O medo de emprestar somou-se à aversão pelo gasto. Os japoneses curtiram dez anos de estagnação.

Logo depois, os mercados castigaram a libra valorizada com um ataque comandado pelo filósofo-especulador George Soros. A crise da libra de 1992 libertou a Inglaterra dos juros altos e da moeda apreciada.

Não satisfeita, a turma da *bufunfa*, em 1993, cismou com a serpente monetária européia: castigou a lira italiana e a peseta espanhola.

Logo em seguida, nos idos de 1994, Alan Greenspan surpreendeu o aquecido mercado global de bônus com uma elevação da *policy rate*. Prejuízos para alguns desavisados à parte, o grosso das perdas atingiu, mais uma vez, um emergente descuidado: no fim de 1994, o mundo presenciou atônito a uma nova derrocada do peso mexicano. Ação pronta do FMI e do Tesouro salvou os bancos americanos carregados de *Tesobonos* (títulos do governo mexicano denominados em dólares). Já sob os auspícios do Nafta, o socorro de Tio Sam aos bancos de seu país impediu uma nova moratória no território abaixo do Rio Grande.

Depois, uma sequência trágica: a crise asiática iniciada na Tailândia, em 1997, contaminou os incautos, em 1998, o Brasil e a Rússia foram tragados no redemoinho da finança desregulada. Ainda em 1998, o *hedge fund* administrado pelos ganhadores do Prêmio Nobel Merton e Scholes entrou na rota da quebra. Os administradores apostaram na convergência entre os preços dos bônus do governo americano e papéis semelhantes do governo russo. Como o movimento esperado de preços não se verificou, os *cientistas fogueteiros* tiveram de botar grana no negócio à medida que os preços se afastavam da direção imaginada pelos jogadores. Para cumprir essa obrigação, os administradores foram forçados a "buscar liquidez" mediante a venda de ativos, provocando uma queda adicional de seus preços. O *Fed* teve de intervir, obrigando os bancos financiadores a sustentar a liquidez dos especuladores, com o propósito de evitar uma crise sistêmica.

A euforia com as ações da nova economia e da *dotcom* vai à breca em 2000, mas o maníaco soprador de bolhas, Alan Greenspan, baixa rapidamente o juro básico. Com isso, dá curso à superbolha de ativos, agora sob o patrocínio dos empréstimos hipotecários e da sanha dos consumidores. Joga às alturas os preços das residências.

Ao mesmo tempo, na periferia, o *currency board* do Doutor Cavallo entra em colapso. No fim de 2001, afetado pela desvalorização brasileira de 1999, a aventura da conversibilidade com taxa de câmbio fixa –

CAPÍTULO V - A MACROECONOMIA DE MARX, KALECKI E KEYNES

apimentada com permissão de depósitos em moeda estrangeira – terminou na tragicomédia do "corralito". Os titulares dos depósitos em moeda forânea correram aos bancos, desesperados, à procura de dólares que estavam, sim, escriturados em suas contas, mas escasseavam em espécie nos cofres. O Banco Central da Argentina, como é sabido, só podia emitir pesos desvalorizados.

As alterações ocorridas ao longo das três últimas décadas na estrutura da riqueza capitalista e na operação dos mercados financeiros tornaram mais complexa a trajetória das economias e mais contraditória a gestão dos bancos centrais. O maior peso da riqueza financeira na riqueza total foi acompanhado pela concentração crescente da massa de ativos mobiliários sob controle "coletivista" dos Fundos Mútuos, Fundos de Pensão e Fundos de Hedge. Os administradores desses fundos ganharam poder na definição de estratégias de utilização da "poupança" e do crédito. A abertura das contas de capital suscitou a disseminação dos regimes de taxas flutuantes e o crescimento dos instrumentos de *hedge,* diante da volatilidade das taxas de juro e câmbio. A "securitização" dos empréstimos bancários e o uso intenso dos derivativos ampliaram, para o bem e para o mal, o papel das flutuações de liquidez no desempenho dos mercados financeiros. As agências de classificação de risco passam a se envolver com os "classificados", prestando serviços de aconselhamento e propaganda, ao mesmo tempo em que pretendem exercer o papel de tribunais com legitimidade para julgar a qualidade dos ativos.

Na década dos 80, a ampliação dos mercados de capitais, ao estimular a colocação direta de papéis de dívida, capturou as empresas mais fortes e mais bem reputadas, deixando para os bancos a clientela de maior risco, empresas frágeis e consumidores tão insaciáveis quanto desinformados. Esses mercados, na visão de seus patrocinadores, teriam a virtude de combinar as vantagens da melhor circulação das informações, da redução dos custos de transação e da distribuição mais racional do risco.

Nos anos 90, para enfrentar a parada dura, os bancos foram à luta: reivindicaram e conseguiram transformar-se num supermercado financeiro, terminando a separação das funções entre os bancos comerciais, de investimento e instituições encarregadas do crédito hipotecário, imposta pelo *Glass-Steagall Act* na crise bancária dos anos 30. Buscaram escapar das regras prudenciais, promovendo a securitização dos créditos. Tangidos pelas forças da concorrência, deram início a um intenso e ainda não encerrado processo de concentração bancária e de expansão internacional.

Os bancos passaram a "securitizar" recebíveis de todos os tipos, em especial os baseados em empréstimos hipotecários, dívidas de cartões de crédito, mensalidades escolares, em suma, todo tipo de *cash flow* com alguma possibilidade de ser pago pelos devedores finais. Sob o crescente predomínio dos Mercados da Riqueza, a incorporação do consumo individual à dinâmica do novo capitalismo tornou-se crucial para as perspectivas de crescimento. Não se trata apenas da completa sujeição das "necessidades" aos imperativos da mercantilização universal.

No ciclo recente, o circuito crédito-riqueza-consumo teve como "fundamento" a valorização dos imóveis residenciais, avançou com a queda de preços das manufaturas produzidas pelos trabalhadores asiáticos e terminou na superalavancagem dos novos instrumentos financeiros. "Originados" na concessão de empréstimos hipotecários, os filhotes da criatividade dos mercados eram "carregados" pelos fundos e bancos-sombra, avaliados pelas agências de classificação de riscos e garantidos pelas seguradoras de crédito.

Ao fim e ao cabo, o circuito riqueza-crédito-consumo "criava" poder de compra adicional para as famílias de baixa e média renda, ao mesmo tempo em que as aprisionava no ciclo infernal do endividamento crescente. No topo da pirâmide da distribuição da riqueza e renda, os credores líquidos se apropriavam de frações cada vez mais gordas da valorização dos ativos reais e financeiros.

No mundo comandado pela dinâmica dos mercados da riqueza, os vencedores e perdedores dividem-se em duas categorias sociais: os que, ao acumular capital fictício, gozam de "tempo livre" e do "consumo de luxo"; e os que se tornam dependentes crônicos da obsessão consumista e do endividamento, permanentemente ameaçados pelo desemprego e, portanto, obrigados a competir desesperadamente pela sobrevivência.

CAPÍTULO V - A MACROECONOMIA DE MARX, KALECKI E KEYNES

Os bancos trataram de "empacotar" os créditos, os bons, os ruins e os péssimos, e remover a "mercadoria" dos balanços, mediante a criação de *Special Investiment Vehicles*. Os SIVs – os bancos-sombra ou quase bancos, criaturas dos bancos "autênticos" – não só cumpriam a função de liberar capital próprio das instituições para a garantia de novos empréstimos, como serviram para manter asseadas as carteiras "originárias". Tais artimanhas contornavam as regras da Basiléia, que impõem o custo dos requerimentos de capital próprio para a cobertura de riscos.

Os bancos-sombra emitiram *commercial papers* para financiar posições em ativos securitizados – os *Asset-Backed Commercial Papers*. Instrumentos de curto prazo emitidos para "carregar" posições em papéis mais longos, os *commercial papers* são especialmente sensíveis às mudanças nas condições de liquidez dos mercados financeiros. Sendo assim, os bancos estavam obrigados, nos momentos de estresse, a prover liquidez para manter suas criaturas à tona. O colapso de preços dos créditos *subprime* detonou os mercados de *commercial papers* e deixou os bancos em má situação. Assim funcionam os mercados da riqueza: a má avaliação do risco torna-se endêmica, sobretudo quando são longos os períodos em que predominam a baixa volatilidade e a inflação bem comportada.

Os problemas aparecem, inevitavelmente, quando o risco de inadimplência do devedor não foi bem apurado ou quando os mercados secundários que avaliam diariamente a riqueza mobiliária – títulos de dívida ou direitos de propriedade, como as ações – colocam em dúvida o valor desses ativos amparado no crédito emitido pelos bancos. As perspectivas de perdas e, no limite, da quebra e da falência obrigam os possuidores de riqueza a fazer caixa, vender o que há de melhor e de mais líquido no seu portfólio. Subitamente, os mercados de dívida e de direitos de propriedade, antes eufóricos, tornam-se ilíquidos. A queda dos preços afugenta os eventuais compradores dos ativos, impedindo a mão invisível de cumprir o seu papel.

Os episódios de euforia global e liquidez excessiva terminariam em *crashes* espetaculares não fossem as intervenções de última instância dos Bancos Centrais mais poderosos no centro do sistema monetário internacional.

Torna-se crucial impedir a crise de pagamentos. Operando num regime de reservas fracionárias, os bancos comerciais desfrutam de uma condição peculiar em relação ao demais intermediários financeiros: a prerrogativa de criar moeda e, assim, multiplicar depósitos, isto é, passivos bancários que se convertem em meios de pagamento. Esses depósitos são, portanto, dinheiro e podem ser movimentados por seus titulares com o propósito de adquirir bens e serviços ou pagar compromissos.

A rede de pagamentos formada pelo sistema bancário constitui a infraestrutura que facilita o *clearing* e a liquidação de operações entre os protagonistas da economia monetária. Dificuldades nessas instituições, que estão na base do sistema de provimento de liquidez e de pagamentos, se transformam inevitavelmente em transtorno para o conjunto da economia. A ausência de socorro tempestivo oferecido por um emprestador de última instância leva inexoravelmente à contração do crédito, à ruptura do sistema de pagamentos e à corrida bancária. As autoridades monetárias, representando o interesse coletivo, não podem deixar que prosperem e se aprofundem o processo de contágio, a deflação de ativos e a contração do crédito. É necessário que os bancos centrais estejam dispostos, nessas circunstâncias, a prover abundante liquidez para os mercados em crise.

Os consumidores "empobrecidos" buscarão recompor a relação desejada riqueza/renda, devendo, para isso, aumentar a poupança corrente. Isso significa que o corte nos gastos de consumo não será modesto, atingindo particularmente os setores que se alimentaram da inflação de ativos e da expansão do crédito, ou seja, os imóveis e os bens duráveis. São exatamente esses setores os que experimentaram maior crescimento relativo na expansão recente.

O aumento do déficit público, do investimento das empresas ou uma contração muito rápida do déficit em conta corrente do balanço de pagamentos poderia contrabalançar a redução no consumo. No caso das empresas, a relação dívida-capital próprio ficou estabilizada no ciclo recente, mas a queda do consumo vai certamente comprimir a rentabilidade, piorando o *rating* e desestimulando os gastos de investimento. Essa deterioração do desempenho das empresas não será bem recebida pelos

CAPÍTULO V - A MACROECONOMIA DE MARX, KALECKI E KEYNES

investidores, o que, provavelmente, vai suscitar ulteriores desvalorizações de suas ações. Quanto ao déficit externo, a sua redução rápida (acompanhada da desvalorização do dólar) acarretará algum alento ao desempenho da economia. Isso, caso o resto do mundo, sobretudo a China, substitua o dinamismo das exportações pelo crescimento da demanda doméstica.

5.9 CÂMBIO SEMIFIXO, VULNERABILIDADE E RISCO SISTÊMICO: O CASO BRASILEIRO

Os bancos centrais nacionais são, na verdade, partícipes de um sistema universal e *hierarquizado* de pagamentos e de liquidez. Assim, por exemplo, os bancos centrais dos países de "moeda fraca", expostos aos movimentos de capitais, dificilmente são capazes de sustentar por muito tempo um regime de câmbio fixo ou semifixo. Em primeiro lugar, a sobrevalorização do câmbio suscita o rápido crescimento do déficit na balança comercial e em conta corrente. Nestas circunstâncias, os Bancos Centrais são obrigados a manter um volume muito elevado de reservas em moeda forte para prevenir ataques especulativos. Isso torna as taxas de juros prisioneiras da necessidade de atrair recursos externos para financiar o balanço de pagamentos, acarretando um constrangimento crucial à atuação dos Bancos Centrais no provimento de liquidez e no desempenho de sua função de emprestador de última instância. A política monetária tem que se submeter às variações das reservas, sob pena de entregar a economia nacional a uma severa crise de balanço de pagamentos, acompanhada tradicionalmente do colapso da paridade.

No início dos anos 90, o Brasil voltou a receber um intenso fluxo de capitais do exterior, estimulado pelas oportunidades de elevados ganhos de arbitragem e pelas expectativas de expressivos ganhos de capital prometidos por ativos baratos. Este movimento determinou uma forte valorização da taxa de câmbio, o que contribuiu decisivamente para o fim do regime de alta inflação. No entanto, à medida que a valorização da taxa nominal de câmbio quebrava o ímpeto inflacionário, a "apreciação" do câmbio em termos reais promovia a rápida ampliação do déficit comercial e em transações correntes, fazendo crescer as necessidades de financiamento do balanço de pagamentos.

Depois das crises sucessivas do México, da Ásia e da Rússia, os investidores mostraram maior relutância em continuar absorvendo ativos denominados na moeda do país, por conta da avaliação generalizada de que a trajetória do déficit de transações correntes e da dívida pública não eram sustentáveis. O crescimento da relação dívida/ PIB vinha sendo sustentada pelas operações de esterilização do impacto da expansão das reservas sobre a oferta monetária e pela manutenção de taxas de juros básicas excessivamente elevadas.

Em algum momento, as avaliações negativas sobre a evolução do regime cambial e monetário acabariam deflagrando as vendas em massa e a liquidação de posições na moeda sobrevalorizada. Estas antecipações negativas estavam claramente associadas a uma trajetória imprudente do déficit de transações correntes do balanço de pagamentos. Nestas situações, vinha ocorrendo uma *fuga da moeda local* em direção aos ativos financeiros denominados na moeda realmente forte que servia de referência, ou seja, o dólar. Instalou-se, assim, uma tendência irrecorrível à desvalorização da taxa de câmbio, envolvendo um *duplo risco*: o retorno das tensões inflacionárias e a aceleração da fuga de capitais, magnificando a possibilidade de perdas futuras para os aplicadores em moeda nacional. Este déficit de confiança foi agravado pela percepção de que o regime cambial e monetário anterior gerou *endogenamente* um desequilíbrio crescente entre o volume de reservas e a massa de ativos financeiros domésticos, inflados pela elevada taxa interna de juros. O problema é que esses ativos ainda mantêm a característica de quase-moedas e, apesar dos esforços das autoridades, não foi possível mudar essencialmente as relações entre o Banco Central e o sistema bancário, no que se refere ao giro e à liquidez dos títulos públicos.

Essa característica dos mercados de dívida pública foi acentuada depois da crise asiática e do colapso da Rússia. A crescente incerteza dos investidores quanto às flutuações bruscas nos preços, com risco de enormes prejuízos para os que se dispõem a carregar os títulos do governo, forçou os administradores da política monetária a aceitar progressivamente a substituição de papéis pré-fixados por pós-fixados. Isto foi feito simultaneamente à dolarização de uma outra fração importante da dívida pública interna, expediente destinado a oferecer proteção para os

CAPÍTULO V - A MACROECONOMIA DE MARX, KALECKI E KEYNES

que mantêm uma posição passiva líquida em dólares. Como costuma ocorrer em situações como essa, em que predominam a incerteza e a desconfiança agudas, *as expectativas tendem a se polarizar em torno da possibilidade de colapso cambial e as autoridades monetárias sentem-se obrigadas a assumir o risco de taxa de juros e o risco de câmbio.*

É importante sublinhar que, na caminhada brasileira para a desvalorização, foi crucial o papel dos mercados de futuros. As autoridades em funções foram colocadas diante de uma escolha difícil. A intensa fuga de capitais recomendava a subida drástica dos juros de curto-prazo. Esta medida, além de acentuar o colapso de preços dos ativos, sobretudo das ações, iria agravar as condições de crédito e de solvência para o conjunto do sistema financeiro. Restavam a emissão de títulos atrelados à variação cambial e a intervenção nos mercados de futuros, vendendo contratos de dólares. Em ambos os casos havia inconvenientes de natureza fiscal e monetária que seriam, aliás, explicitados após a desvalorização. Mas a intervenção nos mercados de futuros tornou possível o abastecimento de *hedge* cambial sem envolver a venda imediata de reservas para cobrir a demanda de dólares dos agentes envolvidos com transações em moeda estrangeira e saciar as expectativas dos que especulavam contra a moeda nacional. Buscavam *hedge* fundamentalmente aqueles que, apesar do risco iminente de colapso do regime cambial e monetário, eram obrigados a sustentar em seus balanços um descompasso entre ativos denominados em reais e passivos em dólares. Este era o caso, por exemplo, das empresas que dependiam de importações, mas "faturavam" predominantemente no mercado interno, de bancos que sustentavam posições predominantemente compradas em "moeda fraca", e dos agentes que – atraídos pelo câmbio valorizado e pelos diferenciais de taxas de juros – estavam endividados em moeda estrangeira.

O Brasil suscitou uma operação de "financiamento preventivo" organizada no final de 1998 pelo FMI e pelos países do G-7. Primeiro, desde setembro, depois da moratória da Rússia, estava claro que as expectativas do mercado financeiro internacional antecipavam um "ataque" fulminante contra os ativos de maior risco, posições atraentes que tinham buscado com avidez desde o começo dos anos 90. Depois da crise asiática, a desconfiança em relação aos emergentes manifestou-se através de uma elevação dos *spreads* médios entre os papéis de maior risco e os títulos de igual prazo emitidos pelo Tesouro americano. Depois do "default" russo, a aversão ao risco assumiu formas agudas. Neste momento, as reservas brasileiras eram de US$ 70 bilhões. O Fundo Monetário exigiu o de sempre: ajuste fiscal, metas rigorosas para o crédito líquido doméstico, limites para o endividamento externo de curto prazo.

Curiosamente e – na visão de muitos – de forma incompatível com os supostos de seu próprio "modelo" de ajustamento, o Fundo concordou com a manutenção da política cambial vigente. O mercado ficou dividido: uma fração majoritária percebeu que esse *monstrum vel prodigium* da tecnocracia globalitária teria vida curta; outros remaram contra a maré, escorados no acordo com o Fundo e na forte participação das instituições do governo na oferta de *hedge* cambial, quer através de papéis dolarizados da dívida pública, quer através da venda de dólares nos mercados de futuros. Apesar disso, intensificaram-se os ataques contra a cidadela enfraquecida do emergente em dificuldades. O governo brasileiro acabou desvalorizando o real, depois de uma perda de US$ 45 bilhões de reservas.

Na posteridade da desvalorização de janeiro de 1999, intensificaram-se os boatos de um "calote" na dívida pública e as taxas de juros muito elevadas foram impotentes para conter a disparada do dólar. O pânico só foi controlado quando a nova equipe do Banco Central obteve autorização do FMI para aumentar os limites de intervenção no mercado cambial.

Capítulo VI
GLOBALIZAÇÃO DESIGUAL E COMBINADA

A História não se repete, mas rima, teria dito Mark Twain. Começamos o capítulo sobre a globalização em boa companhia. Vamos rimar as vicissitudes do ambiente social e econômico contemporâneo com as atribulações dos anos 20 e 30 do século XX. As duas épocas revelam um capitalismo cada vez mais poderoso em sua capacidade de criar e destruir, de transformar a concorrência em monopólio, de praticar o protecionismo, de instabilizar as moedas nacionais, de causar o desemprego de homens e a paralisação das máquinas. Revelam também que as sociedades podem reagir à violência cega e desagregadora das "leis econômicas" com as armas da brutalidade e do voluntarismo político.

O regime econômico fascista foi um monstruoso movimento contra a pseudo-objetividade das leis econômicas e suas consequências funestas para as condições de vida dos indivíduos. A experiência negativa dos anos 20 e 30 deixou uma lição: o capitalismo da grande empresa e do capital financeiro levaria inexoravelmente a sociedade ao limiar de outras aventuras totalitárias, caso não fosse constituída uma instância pública de decisão capaz de coordenar e disciplinar os megapoderes privados.

Para evitar a repetição do desastre era necessário, antes de tudo, constituir uma ordem econômica internacional capaz de alentar o desenvolvimento, sem obstáculos, do comércio entre as nações, dentro de regras monetárias que garantissem a confiança na moeda-reserva, o ajustamento não deflacionário do balanço de pagamentos e o abastecimento de liquidez requerido pelas transações em expansão. Tratava-se de erigir um ambiente econômico internacional destinado a propiciar um amplo raio de manobra para as políticas nacionais de desenvolvimento, industrialização e progresso social.

As instituições e as políticas econômicas do Estado Social estavam comprometidas com a manutenção do pleno emprego, com a atenuação, em nome da igualdade, dos danos causados ao indivíduo pela operação sem peias do "mecanismo econômico". A concepção de um desenvolvimento nacional, no marco de uma ordem internacional estável e regulada, não era uma fantasia idiossincrática ou "quarenta anos de burrice", como sentenciou uma figura liliputiana do pensamento econômico brasileiro.

REGIME DE ACUMULAÇÃO FORDISTA

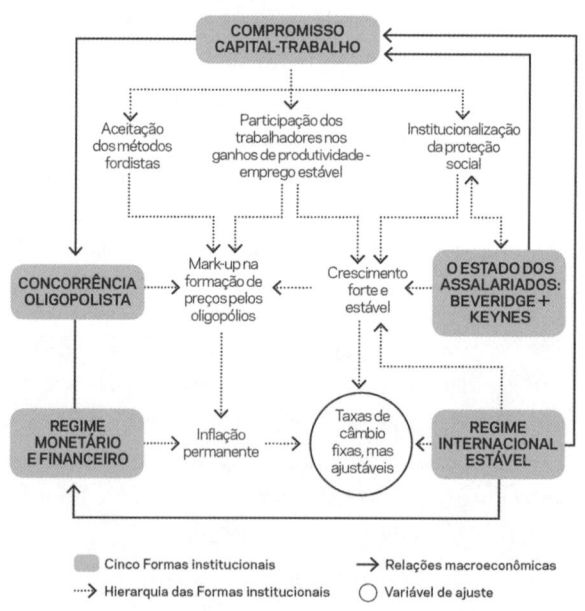

Fonte: Boyer, Robert – Régulation Theory and Contemporary Capitalism, Review of Political Economy, outubro 2018.

CAPÍTULO VI - GLOBALIZAÇÃO DESIGUAL E COMBINADA

Os economistas do coletivo *Krisis*, Ernst Lohoff e Norbert Trenkle, argumentam que "o relativo sucesso do keynesianismo durante o *boom* do pós-guerra estava ligado a condições estruturais específicas fora do seu controle, o que significa que ele não as criou, e não poderia criá-las".

Eles afirmam que "as políticas de regulação e de redistribuição de renda eram inteiramente funcionais, à medida que o emprego industrial massivo se expandiu e atuou como o motor de um *boom* autossustentável na valorização do capital. A expansão de sistemas de bem-estar social e o aumento real dos salários não apenas contribuíram para a pacificação social, mas também estabilizaram a escalada econômica, porque fortaleceram o consumo de massas. A expansão da infraestrutura pública teve importância no mínimo equivalente. Sem isso, a industrialização total e a mercantilização de tudo na sociedade não poderiam funcionar. Não se poderia dirigir automóveis sem uma densa rede de estradas, a eletrificação das casas exigia o fornecimento de energia, e um sistema educacional de boa qualidade e amplo era necessário para educar uma força de trabalho qualificada".

Na visão de Lohoff e Trenkle, o Estado exerceu um papel central e isto alimentou a ideia de que ele também estava na posição de manter o desenvolvimento econômico, guiá-lo e estabilizá-lo no longo prazo. Mas quando o *boom* fordista do pós-guerra chegou ao fim, isto se mostrou uma ilusão porque, à medida que a valorização do capital foi paralisada, quando cada vez mais trabalhadores foram demitidos devido ao rápido aumento da produtividade, não foram apenas as fontes financeiras que secaram. Ainda mais sério foi o fato de que ele não conseguiria iniciar um novo surto sustentado de valorização de capital, apesar do massivo estímulo dos financiamentos e pacotes de crescimento.

Não há nada de notável nisso, argumentam os autores, porque "se o Estado pode intervir nos mecanismos de mercado até um certo ponto, ele não tem acesso ao processo fundamental que é determinado pela contradição interna do capitalismo. Para colocar de outra forma, o keynesianismo tornou-se inútil frente à racionalização geral que se seguiu à terceira revolução industrial, que em última instância erodiu os fundamentos da valorização do capital. Toda tentativa de tirar a economia real da estagflação fracassou miseravelmente.

Esta foi a razão mais profunda da vitória do neoliberalismo. Se tampouco tinha um plano para ressuscitar a valorização do capital, ele estabeleceu as bases para que a dinâmica econômica se transferisse para a "indústria financeira" e, consequentemente, para adiar a crise pelas três décadas seguintes. Os fatores críticos aqui foram, de um lado, a liberalização consistente dos mercados financeiros e, de outro, o aumento da dívida pública do governo Reagan, que de certa forma serviu como financiamento inicial para a acumulação de capital fictício em enorme escala. A destruição de estruturas fordistas através da desestruturação de sindicatos etc. fez o resto, porque ao mesmo tempo a privatização do setor público abriu novos campos para o investimento financeiro, por exemplo a privatização de sistemas de previdência".

O capitalismo "social" e "internacional" do imediato pós-guerra transfigurou-se no capitalismo "global", "financeirizado" e "desigual". A desarticulação econômica descortina uma nova fase, marcada por desencontros nas relações entre o modo de funcionamento dos mercados globalizados e os espaços jurídico-políticos nacionais.

Ante o nervosismo da insegurança econômica, recrudesce a polarização política, fomentada pelo crescimento da massa daqueles que tiveram suas condições de trabalho e vida precarizadas na senda da arbitragem geográfica de salários, impostos, câmbio e juros pela finança globalizada.

Os "irracionais" querem os empregos de volta. O cenário lembra o "fechamento" das economias nos anos da Grande Depressão. Vale revisitar o texto do *Tariff Act* da lei americana Smoot-Hawley de 1930, que elevou brutalmente as tarifas e lançou o comércio internacional na derrocada deflacionária.

A polarização política exprime de forma dramática a ruptura das relações mais "equilibradas" entre os poderes do "livre mercado" e o resguardo dos direitos econômicos e sociais dos cidadãos desfavorecidos.

Diante do acalorado debate contemporâneo, buscamos escapar da visão que pretende encaminhar a controvérsia no rumo da avaliação dos benefícios e prejuízos da globalização. Nosso propósito é evitar as simplificações binárias e perquirir a dinâmica das estruturas capitalistas depois

CAPÍTULO VI - GLOBALIZAÇÃO DESIGUAL E COMBINADA

da crise do arranjo social e político que sustentava o modo de funcionamento das economias centrais e periféricas nos Trinta Anos Gloriosos.

Na década de 1970 a experiência do capitalismo "social" e "internacional" do imediato pós-Guerra sofria do mal-estar do primeiro choque do petróleo, da estagflação e do endividamento da periferia alimentado pela reciclagem dos petrodólares. A inflação sucumbiu diante da elevação dos juros promovida por Paul Volcker em 1979. Além de lançar o país na recessão, o gesto do *Federal Reserve* não só aplacou a inflação de dois dígitos nos Estados Unidos, mas, sobretudo, reinstaurou a soberania do dólar como moeda-reserva, extinguindo a ameaça de fracionamento do sistema monetário internacional. A punhalada de Volcker desmontou as pretensões dos europeus de encaminhar a substituição do dólar por um ativo de reserva administrado pelo FMI e lastreado em uma cesta de moedas.

A década de 70 é também o momento da aproximação China-EUA, promovida por Nixon e Kissinger. De uma perspectiva geopolítica e geoeconômica, a inclusão da China no âmbito dos interesses americanos é o ponto de partida para a ampliação das fronteiras do capitalismo, movimento que iria culminar no colapso da União Soviética e no fortalecimento dos valores e propostas do ideário neoliberal.

GLOBALIZAÇÃO NEOLIBERAL

[Diagrama: Concorrência Internacional conecta-se a Mudanças no Mercado de Trabalho, O salário é apenas custo, Erosão das bases tributárias. Estes levam a: A Relação Salarial, Ruptura do nexo produtividade/salários, Limitações do gasto público, Aumento do Endividamento dos Estados, Pressões sobre a seguridade social, Regime Monetário (Objetivo central: controle da inflação), Taxas de câmbio flutuantes introduzem incerteza, Crescimento Baixo e Instável, Aumento do Desemprego, Erosão do sistema internacional.

Legenda: ■ Cinco Formas institucionais → Relações macroeconômicas ⇢ Hierarquia das Formas institucionais ○ Variável de ajuste]

Fonte: Boyer, Robert – Régulation Theory and Contemporary Capitalism, Review of Political Economy, outubro 2018.

O despertar da Segunda Globalização é assinalado no início dos anos 80 do século XX. Abaixo, arriscamos elencar os fatores que impulsionaram a expansão e transformações da nova economia globalizada:

1) A desregulamentação financeira e a abertura das contas de capital promoveram o crescimento continuado dos fluxos brutos de capitais entre as economias nacionais, sobretudo para o mercado americano;

2) a valorização do dólar intensificou a migração da produção manufatureira para os países de baixo custo da mão de obra;

3) o acirramento da concorrência entre as grandes empresas impulsionou a nova distribuição espacial da produção globalizada;

CAPÍTULO VI - GLOBALIZAÇÃO DESIGUAL E COMBINADA

4) a redistribuição espacial da indústria manufatureira foi acompanhada da *hiperindustrialização*, ou seja, da rápida introdução dos métodos e tecnologias poupadoras de mão de obra na manufatura, na agricultura e nos serviços;
5) a formação de bolhas sucessivas de valorização dos ativos reais e financeiros apoiada na "alavancagem" financeira;
6) a insignificante evolução dos rendimentos dos trabalhadores nos países centrais cada vez mais "precarizados" acompanhou a redução da pobreza na periferia em processo de industrialização;
7) a consequente ampliação das desigualdades na distribuição da renda e da riqueza;
8) o endividamento excessivo das famílias nos Estados Unidos e na "periferia" europeia;
9) a degradação dos sistemas progressivos de tributação e o encolhimento da proteção social;
10) a persistência de déficits fiscais alentados e a expansão das dívidas dos governos;
11) as metamorfoses da riqueza impõem a predominância do rentismo.

A dimensão mais importante da assim chamada desregulamentação financeira é a progressiva abertura das contas de capital que se seguiu à reafirmação do dólar como moeda reserva em 1979. Assim, na cúspide da hierarquia de fatores que realizaram a dinâmica da internacionalização financeira está o crescimento excepcional dos *fluxos brutos* de capital, não só entre as economias centrais, mas também entre elas e as emergentes.

Os efeitos mais importantes da mobilidade e globalização do capital financeiro são:

1) a generalização das relações de débito-crédito em moeda conversível, bem como a ampliação da propriedade estrangeira de ativos financeiros e "reais";
2) o excepcional crescimento dos mercados organizados e de balcão para negociação de derivativos destinados à proteção contra as flutuações de juros e câmbio; e

3) as transferências de propriedade entre residentes e não-residentes mediadas por fundos administrados por grandes instituições financeiras.

O "descasamento de moedas" nos balanços dos agentes relevantes não é visível nos *resultados líquidos* revelados pela observação dos déficits ou superávits em conta corrente entre os países. "Assim, diz o economista Claudio Borio do BIS, mesmo que os Estados Unidos não apresentassem déficits externos ao longo dos anos 90 (e da primeira década do século XXI), o ingresso de capitais teria sido robusto".

Depois da digestão da crise da dívida que as açoitou ao longo dos anos 80, a maioria dos emergentes foi bafejada pelas benesses e agonias dos ciclos financeiros dos anos 90, e sobretudo, dos anos 2000. A abundante liquidez global, desatada pelas políticas monetárias acomodatícias da Grande Moderação dos anos 90, teve prosseguimento depois da crise de 2008, amparada no *Quantitative Easing*.

O estudo do Banco de Compensações Internacionais (BIS) – *The transmission of unconventional monetary policy to emerging markets* – admite que há consenso a respeito da predominância dos fatores "externos" sobre os fatores internos na determinação dos fluxos de capitais e dos preços dos ativos denominados em moedas distintas. As condições monetárias nos países desenvolvidos, particularmente nos Estados Unidos, o gestor da moeda reserva, determinam o volume de capitais que buscam os mercados emergentes. Às políticas econômicas "internas" cabe o papel de buscar relações entre câmbio e juros atraentes para os capitais em movimento. Num ambiente internacional de livre movimentação de capitais, os bancos centrais dos países de moeda fraca encontram dificuldades em manter, simultaneamente, boas condições de crescimento da economia e a estabilidade de sua moeda.

No artigo *External Balance Sheets of Emerging Economies,* Yilmar Akyuz mostra os efeitos da rápida ampliação dos fluxos de capitais para as economias emergentes do G20. A partir do início dos anos 90, os movimentos de capitais se intensificaram para os ditos emergentes e passaram a determinar a situação da conta corrente e, portanto, o "estado" do balanço de pagamentos.

CAPÍTULO VI - GLOBALIZAÇÃO DESIGUAL E COMBINADA

Observa Yilmar Akyuz : "Isso significa que alterações nas taxas de juro, preços dos ativos e taxas de câmbio nos países de moeda-reserva afetaram as condições financeiras nas economias emergentes, não só ao impactar os *fluxos* internacionais de capitais, mas também ao alterar os valores dos *estoques* de ativos e passivos externos das economias de moeda não conversível".

Com a expansão dos fluxos brutos de capitais e a consequente formação de ativos e passivos em moeda estrangeira, as receitas e despesas financeiras tornaram-se importantes na formação dos resultados da conta corrente dos países emergentes. As consequências da desregulamentação financeira e da abertura das contas de capital vão muito além do que pode ser observado nos registros dos resultados líquidos nos estoques de ativos e passivos, assim como nos resultados em conta corrente que registram as diferenças entre os fluxos de comércio e de rendimentos dos estoques de passivos e ativos em moeda estrangeira.

As economias emergentes pagam em seus passivos taxas mais elevadas se comparadas com a remuneração de seus ativos. Assim, têm necessidade de uma posição líquida ativos-passivos positiva para manter sob controle a tendência permanente ao déficit na conta de capital. Em tais condições as economias emergentes são constrangidas a gera superávits comerciais para garantir o equilíbrio no balanço de pagamentos.

Nas últimas décadas, o fluxo de capitais para os emergentes, à exceção da China, induziu uma combinação juros-câmbio que desestimulou os projetos voltados para as exportações, promoveu importações "predatórias" e aumentou a participação da propriedade estrangeira no estoque de capital doméstico. As privatizações e as fusões e aquisições na maioria das economias emergentes contribuíram decisivamente para a fragilização dos balanços de pagamentos. Os fatores acima, como é óbvio, vêm concorrendo para aumentar as remessas de lucros, juros e dividendos ao exterior.

O rápido crescimento dos fluxos de capitais é um fenômeno decorrente do relaxamento da chamada "repressão financeira" que prevaleceu nos Trinta Anos Gloriosos. Nos Estados Unidos, em 1999, o *Gramm-Leach-Bliley Act* derrotou a legislação dos anos 1930, o *Glass-Steagal*

Act, que separava os bancos de depósito, os bancos de investimento, seguradoras e instituições voltadas para o financiamento imobiliário e "fundeadas" na poupança das famílias. As entradas de investimento de portfólio no mercado americano líquido e profundo foram acompanhadas pelo avanço da "securitização", com participação crescente das famílias e empresas superavitárias, como ofertantes de fundos e detentoras de papéis, através dos investidores institucionais (fundos de pensão, fundos mútuos e seguradoras).

FIGURA 1
Fluxos de Capitais entre Europa e Estados Unidos

FLUXOS DE CAPITAIS ENTRE EUROPA E EUA

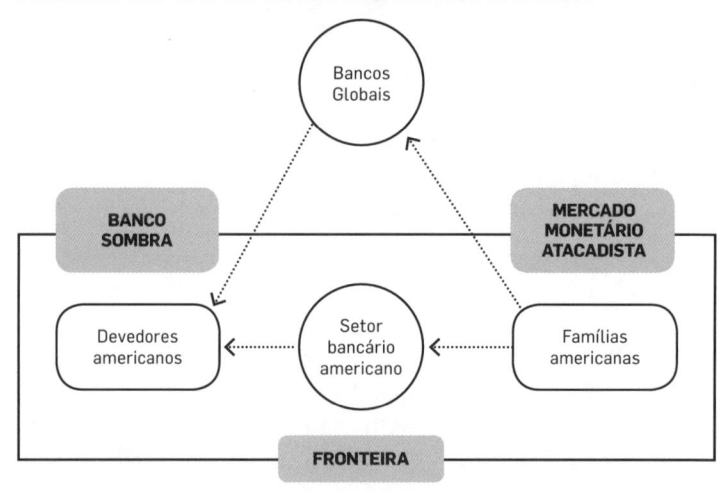

Figura 1 – Fluxos de Capitais entre Europa e Estados Unidos

Na outra ponta, os emissores de dívida são basicamente os Tesouros Nacionais (com destaque para os Estados Unidos), grandes empresas, bancos e famílias de renda média e baixa. Diferentemente do que ocorreu no pós-guerra até o início dos anos 80, a predominância dos créditos bancários cedeu lugar à finança direta, mobilizada através dos mercados de ativos.

CAPÍTULO VI - GLOBALIZAÇÃO DESIGUAL E COMBINADA

A securitização e a alavancagem construíram uma teia de relações de débito e crédito entre as grandes instituições espalhadas pelo mundo. Como já foi dito em capítulo anterior, "os bancos de investimento e os demais bancos-sombra aproximaram-se das funções monetárias dos bancos comerciais, abastecendo seus passivos nos "mercados atacadistas de dinheiro" (*money markets*), amparados nas aplicações de curto prazo de empresas e famílias". Não por acaso, a dívida intrafinanceira como proporção do PIB americano cresceu mais rapidamente do que o endividamento das famílias e das empresas. Esse fenômeno corresponde ao controle da riqueza social pelas instituições privadas, o que torna impossível a omissão dos bancos centrais quando um elo da cadeia se rompe.

A liquidez e profundidade dos mercados financeiros americanos financiaram e garantiram a saída de capital produtivo e a consequente desindustrialização americana. (Gráficos 1 e 2). Desde de meados dos anos 80 e mais intensamente nas duas décadas seguintes, o investimento manufatureiro das empresas internacionalizadas concentrou-se na China e na Ásia emergente.

GRÁFICO 1
Conta de Capital – % do PIB – USA

CONTA DE CAPITAL
% do PIB - EUA

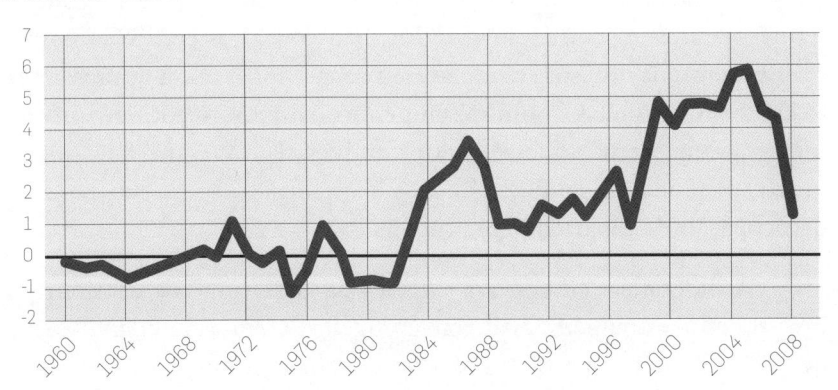

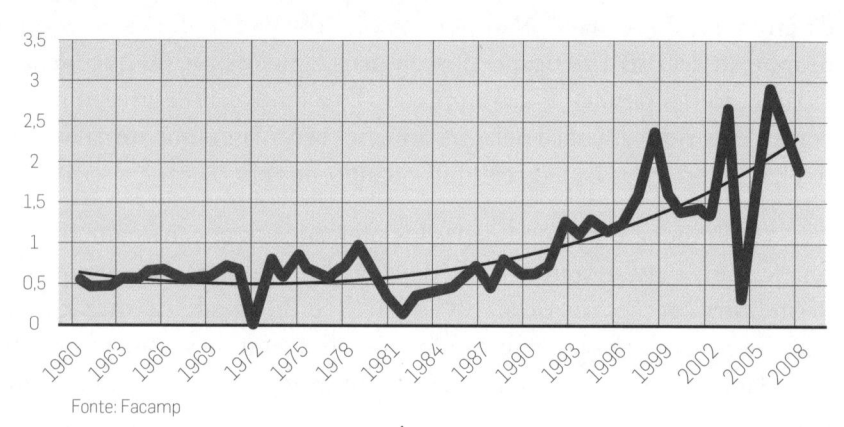

GRÁFICO 2
Investimento Direto no Exterior – % do PIB – EUA

INVESTIMENTO DIRETO NO EXTERIOR
% do PIB - EUA

Fonte: Facamp

Fonte – Facamp

Nesse período, a "competitividade" chinesa avançou vertiginosamente, tanto nos setores menos qualificados tecnologicamente, quanto nas áreas de tecnologia mais sofisticada.

A aceleração da taxa de investimento nos emergentes asiáticos levou à rápida acumulação de capacidade produtiva em quase todos os setores ligados ao comércio exterior. São óbvias as conexões entre o investimento na indústria manufatureira da China e a taxa de crescimento das exportações. O bom desempenho das exportações e o investimento público em infraestrutura promoveram o crescimento do emprego, da renda das famílias chinesas e a manutenção de um alto nível de ocupação da capacidade produtiva.

As lideranças chinesas se valeram da "abertura" da economia ao investimento estrangeiro ávido em aproveitar a oferta abundante de mão de obra (Gráfico 3). Os chineses apostaram na combinação favorável entre câmbio real competitivo, dominância dos bancos estatais na oferta

CAPÍTULO VI - GLOBALIZAÇÃO DESIGUAL E COMBINADA

de crédito, juros baixos para empreender estratégias nacionais de investimento em infraestrutura, absorção de tecnologia com excepcionais ganhos de escala e de escopo, adensamento das cadeias industriais e crescimento das exportações.

GRÁFICO 3
China: Investimento direto por país de origem

CHINA: INVESTIMENTO DIRETO POR PAÍS DE ORIGEM
Em bilhões de dólares

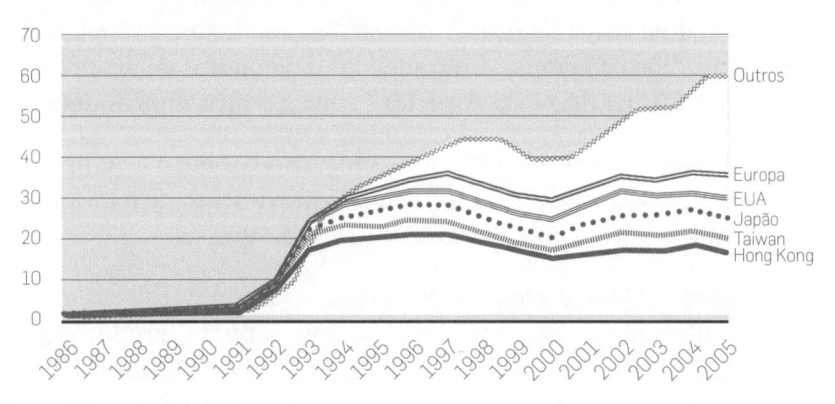

Fonte: Chinese Statistical Yearbook.

Os professores Chandrasekhar e Jayati Ghosh, apoiados em dados do FMI sobre a economia mundial, revelam a queda na participação das economias avançadas de 83% para 60% nas últimas três décadas. O grosso dessa mudança ocorreu entre 2002 e 2013, quando a participação caiu de 80% para 62%, devido ao aumento da participação da China de 3% para 15%, que explica 87% da queda na participação das economias avançadas no período entre 1980 a 2015.

O livro *China versus West*, de Ivan Tselichtchev, dá a dimensão da transformação ocorrida. Nos anos 1980 a economia chinesa detinha os mesmos 1% do Brasil de participação no comércio mundial, em 2010 sua participação saltou para 10,4%, contra 8,4% dos EUA e 8,3% da

Alemanha. Durante a primeira década do novo milênio a taxa de crescimento média anual da economia chinesa foi de 10,5%, contra 1,7% dos EUA e 0,9% da Alemanha. Ao final da década a China respondia por 42% da produção mundial de televisores a cores, 67% dos produtos de vídeo, 53% dos telefones móveis, 97% dos PCs, e 62% das câmeras digitais.

No mesmo movimento, os avanços da inteligência artificial, da internet das coisas e da nanotecnologia agravaram as assimetrias entre países, classes sociais e empresas. Isso suscitou a intensificação da introdução dos métodos "industriais" na agricultura e nos serviços, promovendo o que convencionamos qualificar de *hiperindustrialização*.

O relatório da Unctad *Trade and Development Report* de 2003 traz o subtítulo *Acumulação de capital, crescimento e mudança estrutural*. Uma avaliação profunda e certeira dos resultados das políticas de desenvolvimento praticadas na Ásia e na América Latina nas duas últimas décadas.

Trata-se de um estudo histórico-comparativo sobre o desempenho dos países em desenvolvimento ao longo do movimento de transformação da economia global nas décadas dos 1980 e 1990.

1) os de *industrialização madura* como a Coréia e Taiwan que já atingiram um grau elevado de industrialização, produtividade e renda *per capita*, mas apresentam uma taxa declinante de crescimento industrial;

2) os de *industrialização rápida*, como a China e talvez a Índia que – mediante políticas que favorecem elevadas taxas de investimento doméstico e graduação tecnológica – apresentam uma crescente participação das manufaturas no produto, emprego e exportações;

3) os de *industrialização de enclave,* como o México que, a despeito de aumentar sua participação na exportação de manufaturados, têm desempenho pobre em termos de investimento, valor agregado manufatureiro e produtividade totais; e

4) finalmente, os países *em vias de desindustrialização*, que inclui a maioria dos países da América Latina.

A tipologia desenhada pela UNCTAD é o ponto de chegada do jogo complexo. Em todas as etapas de expansão do capitalismo este jogo

CAPÍTULO VI - GLOBALIZAÇÃO DESIGUAL E COMBINADA

envolve as transformações financeiras, tecnológicas, patrimoniais e *espaciais* que decorrem da interação de dois movimentos:

1) o processo de concorrência movido pela grande empresa, sob a tutela das instituições nucleares de "governança" do sistema: a finança e o Estado hegemônico; e

2) as estratégias nacionais de "inserção" das regiões periféricas. As transformações que hoje observamos são impulsionadas pelo jogo estratégico entre o "pólo dominante" – no caso a economia americana, sua capacidade tecnológica, a liquidez e profundidade de seu mercado financeiro, o poder de *seignorage* de sua moeda – e a capacidade de "resposta" dos países em desenvolvimento às alterações no ambiente internacional.

É desnecessário dizer que as economias periféricas dispõem de estruturas e trajetórias sociais, econômicas e políticas muito dessemelhantes, o que dificulta para umas e facilita para outras a chamada "integração competitiva" nas diversas etapas de evolução do capitalismo. Assim, por exemplo, o sucesso do Brasil, até o início dos anos 1980, desencadeou a crise que iria provocar o seu reiterado "fracasso" na tentativa de se ajustar às novas condições internacionais. No polo oposto, o fracasso chinês até os anos 1980 propiciou condições iniciais mais favoráveis para o sucesso das reformas empreendidas a partir de então.

A "globalização americana", ao operar nas órbitas financeira, patrimonial e produtiva, engendrou dois tipos de regiões: aquelas cuja inserção internacional se faz pela atração do investimento direto destinado aos setores produtivos afetados pelo comércio internacional; e aquelas, como Brasil e Argentina, que buscaram sua integração mediante a abertura comercial passiva e a flexibilização da conta de capitais.

A abertura da conta de capitais promoveu a "financeirização" da taxa de câmbio. Submetida às expectativas curto-prazistas dos mercados financeiros, as taxas de câmbio mostraram forte tendência à valorização e, pior, à volatilidade, subordinando as políticas monetárias domésticas ao império do diferencial de juros entre moedas conversíveis e as periféricas, não conversíveis

A redistribuição espacial da indústria manufatureira ampliou os desequilíbrios nos balanços de pagamentos entre os EUA, a Ásia e a Europa, bem como reforçou o avanço da chamada globalização financeira. Como foi dito, os EUA foram capazes de atrair capitais para financiar com sobras os déficits em conta corrente e, assim, mantiveram taxas de juros baixas, dólar valorizado, importações baratas e calmaria inflacionária. A ampliação dos déficits em conta corrente dos EUA (Gráfico 5) teve como contrapartida a rápida acumulação de reservas nos países emergentes – nos manufatureiros e nos exportadores de *commodities*, aí incluídos os petroleiros. Utilizadas na compra de ativos americanos, as reservas dos "poupadores" ajudaram a sustentar as baixas taxas de juros, a espantosa expansão do crédito, o que fomentou a inflação de ativos e estimulou o consumo das famílias.

GRÁFICO 5
Conta Corrente – % do PIB – EUA

CONTA CORRENTE
% do PIB - EUA

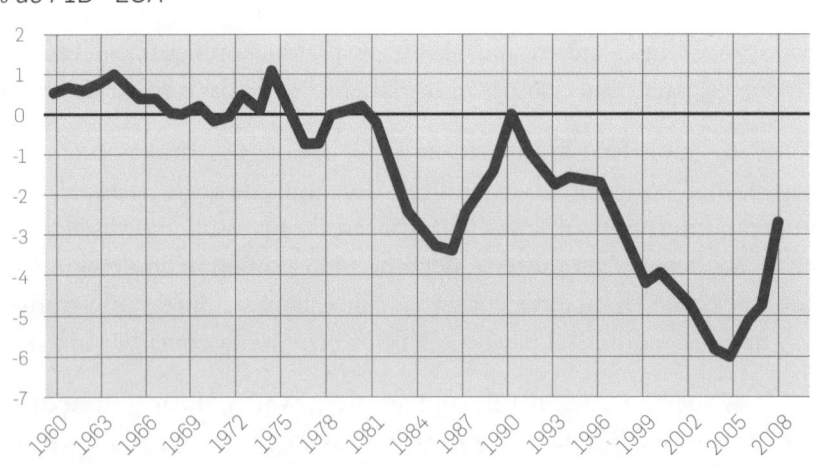

Os gastos de consumo das famílias ampliaram sua participação na formação do dispêndio agregado e se tornaram o componente mais importante da taxa de crescimento das economias mais desenvolvidas,

CAPÍTULO VI - GLOBALIZAÇÃO DESIGUAL E COMBINADA

sobretudo nos Estados Unidos, na Inglaterra e nos periféricos europeus. Em contrapartida, o consumo deixou de ter o comportamento relativamente estável previsto pela função – consumo keynesiana e passou a apresentar uma instabilidade típica das decisões de investimento.

Não se trata apenas de que uma fração do consumo deixa de ser proporcional à renda corrente, fenômeno que aliás se estabelece a partir da generalização do crédito ao consumidor. Significa, isto sim, que aumenta significativamente a possibilidade de "alavancagem" por parte dos consumidores (Ver Gráfico 6). Esta alavancagem é fruto da percepção das famílias e de seus financiadores a respeito da valorização acelerada dos ativos financeiros e imobiliários que acumulam em seus portfólios. O efeito-riqueza, diga-se, não se realiza mediante a venda dos ativos, com a conversão do resultado monetário em consumo, senão mediante a ampliação da demanda de crédito por parte dos consumidores "enriquecidos".

GRÁFICO 6

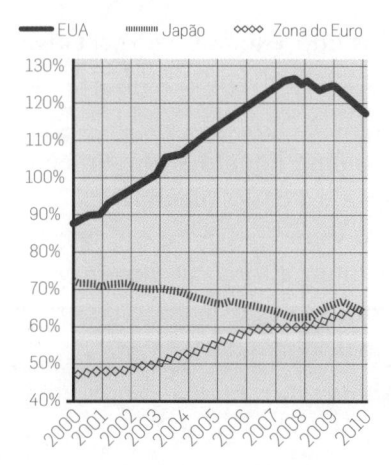

O endividamento substitui o crescimento da renda

O ENDIVIDAMENTO SUBSTITUI O CRESCIMENTO DA RENDA

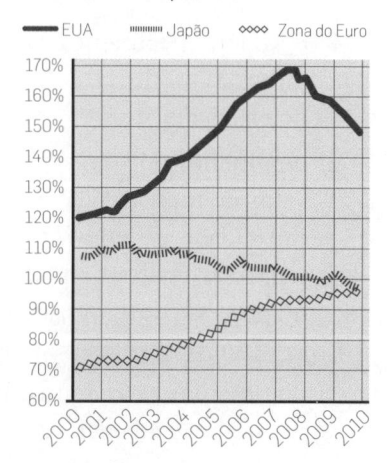

Fonte: Banque de France; BCE.

Confiantes numa trajetória ascendente de valorização da sua riqueza, os consumidores tendem a elevar a propensão a consumir sobre a renda corrente, apoiados no aumento do endividamento. A perspectiva de enriquecimento acelerado passa a comandar as decisões de gasto de consumo: o nível de endividamento não é mais calculado sobre a renda corrente e sim sobre a expectativa de crescimento dos preços dos ativos que compõem o portfólio das famílias. Assim, é possível observar aumentos na relação dívida/renda corrente, embora a relação entre a dívida e o estoque de riqueza possa se manter estável ou mesmo declinar.

A captura de grupos expressivos da população pelo efeito-riqueza engendra um ciclo de valorização de ativos com força para excitar a demanda muito além das expectativas normais dos empresários que produzem bens de consumo e bens de capital. O arranjo sino-americano que comandou o espetáculo de crescimento global nos últimos anos dirigiu os efeitos da excitação do consumo dos súditos de Tio Sam para o déficit do balanço de pagamentos e deslocou as decisões de investimento das empresas para os emergentes em rápida graduação industrial, com poucas pressões sobre os preços. As elevações de preços causadas pela excitação da demanda ficam circunscritas aos serviços e aos demais bens não envolvidos no comércio exterior.

As decisões de investimento produtivo nas novas áreas, por seu turno, sofreram uma tripla influência da inflação de ativos:

1) o superaquecimento do consumo excitou a expectativa de lucros da indústria, com os efeitos conhecidos sobre a demanda de *commodities*;
2) o aumento do valor do patrimônio líquido – via aumento do valor de mercado da empresa – e a consequente ampliação da capacidade de endividamento empresarial. Assim, apesar das empresas estarem envolvidas num esforço de investimento e no processo de fusões/aquisições, a relação dívida/capital próprio se manteve estável, ou mesmo declinou;
3) a consequente redução dos custos de capital para a empresa melhor avaliada pelas agências de *rating* baixou a percepção de risco para prestamistas e para tomadores.

CAPÍTULO VI - GLOBALIZAÇÃO DESIGUAL E COMBINADA

O ciclo recente "internacionalizou" as informações que promovem a incitação ao investimento. Os índices que medem a confiança dos consumidores americanos e europeus se elevaram de forma persistente, devido à redução da taxa de desemprego e à continuada valorização de ativos residenciais. Os emergentes presenciaram o fenômeno "kalekiano" do reforço do círculo virtuoso: o aumento dos investimentos produz um aumento dos lucros. Nos Estados Unidos e na China, a elevação dos lucros induziu a uma maior valorização do patrimônio líquido das empresas, o que se refletiu numa ulterior valorização das ações. O sistema de crédito, com elevados níveis de liquidez, ajusta-se para atender de forma elástica a demanda por novos empréstimos.

Como em todo o ciclo expansivo, o preço de demanda dos ativos reais e dos ativos financeiros tendem a crescer conjuntamente. No ciclo recente, comandados pela inflação de ativos, o crescimento dos preços de mercado dos ativos foi muito mais rápido do que do fluxo de rendimentos. Uma das marcas registradas da capitalização das bolsas e da explosão dos ativos imobiliários foi a impressionante elevação das relações preço/lucro e preço/aluguel.

Como era de se prever, um colapso abrupto dos preços da "riqueza" levaria inevitavelmente a economia à beira da depressão, devido ao caráter cumulativo e de auto reforço imposto pela deflação de ativos. Diante da alavancagem que sustentou seu "enriquecimento", as famílias e as empresas foram "surpreendidas" por um forte crescimento das suas dívidas. O grau de endividamento se elevou tanto em relação à renda corrente quanto em relação aos respectivos patrimônios. No caso das empresas não-financeiras, neste momento consolidou-se a percepção de que a relação dívida/capital próprio cresce involuntariamente, com deterioração do *rating*, o que tornou mais cara e difícil a tomada de novos empréstimos. Essa degradação do valor de mercado das empresas e de sua situação de endividamento provocou, então, naquele momento, ulteriores desvalorizações de suas ações. À falta de uma intervenção mais incisiva dos governos, a economia mundial mergulharia na depressão.

LUIZ GONZAGA BELLUZZO; GABRIEL GALÍPOLO

6.1 METAMORFOSES DA RIQUEZA CAPITALISTA E O AVANÇO DO *RENTISMO*

A crise financeira deflagrada em 2008 não pode ser atribuída a um incidente de má gestão dos protagonistas relevantes do jogo do mercado – grandes instituições financeiras e corporações internacionalizadas. Os economistas da corrente principal se valem dos conceitos de falhas de mercado determinadas por assimetria de informação, *moral hazard* etc. para explicar a crise. Como assinala o economista italiano Giancarlo Bertocco, a crise nasce das transformações endógenas promovidas pela dinâmica capitalista que levaram à exasperação os desequilíbrios financeiros, produtivos e na distribuição de renda e riqueza entre países, empresas e famílias.

O livro de Thomas Piketty, *O Capital no Século XX*, vai ser tomado como referência para analisar as metamorfoses da riqueza e seus efeitos distributivos. Piketty, sabe-se, palmilha os caminhos das relações entre riqueza e renda desde a predominância da riqueza fundiária – cujo declínio foi imposto pelas forças das políticas mercantilistas de incentivo à manufatura – até os arranjos contemporâneos apoderados pelo patrimonialismo financeiro e pela concentração do capital nos grandes oligopólios que dominam todos os setores da indústria e dos serviços na arena global. As transformações ocorridas no sistema financeiro desataram a livre e brutal concorrência no capitalismo da grande empresa e das grandes instituições financeiras.

Aqui nos ocuparemos das transformações ocorridas entre os anos 70 do século XX e a crise financeira em 2008.

Em sua peregrinação, Piketty apresenta um conceito de capital que aparentemente desconsidera as formulações teóricas de Marx a respeito das relações de produção capitalistas e de suas conexões com a natureza das forças produtivas adequadas ao desenvolvimento desse regime de produção.

No entanto, ao agregar as várias modalidades de ativos e discutir as mudanças de sua composição, Piketty reconstitui a trajetória de Marx em *O Capital*: reafirma a "natureza" do regime do capital como

CAPÍTULO VI - GLOBALIZAÇÃO DESIGUAL E COMBINADA

modalidade histórica cujo propósito é a acumulação de riqueza monetária, abstrata; assim abre espaço para a compreensão da predominância do capital a juros e do capital fictício, como formas de riqueza e de enriquecimento derivadas da *propriedade do capital* e não da atividade inovadora e fáustica do empreendedor capitalista. Esse desdobramento *necessário* da riqueza capitalista em suas modalidades mais "avançadas" confirma as investigações de Marx, Schumpeter, Keynes e Minsky a respeito das leis de movimento que regem a relação entre riqueza e criação de valor (renda).

No capitalismo carregado de todas as suas determinações, riqueza agregada é o estoque de ativos reprodutivos, direitos de propriedade sobre esses ativos e seus rendimentos (ações) e títulos de dívida gerados ao longo de vários ciclos de criação de valor. Os ativos financeiros – ações e títulos de dívida – são avaliados diariamente em mercados especializados.

No Livro III de *O Capital*, Marx estabelece a conexão entre a expansão do crédito e a valorização dos ativos financeiros: "Ao desenvolver-se o capital-dinheiro disponível também se desenvolve a massa de valores rentáveis, títulos do Estado, ações etc. Mas aumenta ao mesmo tempo a demanda de capital dinheiro disponível, posto que os que especulam com títulos e valores desempenham um papel fundamental no mercado de dinheiro (...). Se todas as compras e vendas desses títulos não fossem mais do que a expressão dos investimentos reais de capital, seria acertado dizer que não influem na demanda de capital de empréstimo".

Como regra geral, a distribuição da riqueza é muito mais concentrada do que a distribuição da renda. Sendo assim, a maior "propensão a poupar" dos que estão nas camadas superiores da distribuição da renda contribui para deprimir a "propensão a gastar" do setor privado.

A frugalidade dos ricos amplia o papel da herança na reprodução e acumulação da riqueza, o que desmente o caráter meritocrático e "competitivo" do enriquecimento alegado pelos liberais. Ao desdobrar a riqueza nas formas em que se transmutam ao longo dos três séculos de história, Piketty faz reaparecer no proscênio da vida econômica a tendência "natural" do capitalismo à preeminência do capital-propriedade e da valorização de ativos já existentes sobre as aventuras do investimento produtivo.

Afirma Piketty: "Quando o empresário tende inevitavelmente a se tornar um "rentier", dominante sobre os que apenas possuem próprio trabalho, o capital se reproduz mais velozmente que o aumento da produção e o passado devora o futuro".

No artigo *O capital está de volta*, Thomas Piketty e Gabriel Zucman revelam a evolução da relação entre riqueza e renda desde o século XVIII. Analisando as oito maiores economias desenvolvidas do mundo, a participação da riqueza agregada sobe de aproximadamente 200% a 300% em 1970 para 400% a 600% atualmente.

A curva que expressa a evolução dessa relação apresenta o formato de "U", com queda acentuada na participação da riqueza agregada sobre a renda no período que compreende as duas grandes guerras mundiais e a Grande Depressão. A tendência se inverte de forma mais acentuada a partir dos anos 70 do século XX. Segundo os autores "as guerras mundiais e as políticas anti-capital destruíram uma grande fração do estoque de capital mundial e reduziram o valor de mercado da riqueza privada, o que é improvável ocorrer novamente na era dos mercados desregulados. Em contraposição, se há redução no crescimento da renda nas décadas à frente, então as relações riqueza-renda podem se tornar altas praticamente no mundo todo".

Nesse parágrafo, Piketty trata da "desvalorização da riqueza" como um fenômeno que acompanhou os ciclos de acumulação da indústria e da finança do capitalismo no século XIX e na primeira metade do século XX.

A desvalorização da riqueza é constitutiva do movimento sempre revolucionário de expansão do capitalismo, descrito por Schumpeter como "destruição criadora". Marx tratou as crises como episódios de desvalorização do capital existente, fenômeno que nasce das entranhas da acumulação, necessário para expurgar o peso da riqueza velha e impulsionar um novo ciclo de expansão.

No pós-guerra, as políticas econômicas foram forjadas sob o receio de reedição do desastre social e econômico ocorrido na Grande Depressão, almejando estabilizar uma economia com fortes inclinações à instabilidade.

A ESCASSEZ NA ABUNDÂNCIA CAPITALISTA

As políticas anticíclicas da era keynesiana cumpriram o que prometiam ao sustar a recorrência de crises de "desvalorização de ativos". Mas, ao garantir o valor dos estoques de riqueza já existente, as ações de estabilização ampliaram o papel dos critérios de avaliação dos Mercados da Riqueza nas decisões de empresas, consumidores e governos.

As intervenções de última instância dos Bancos Centrais e dos Tesouros Nacionais, concebidas para evitar a deflação de ativos, incitaram a conservação e valorização da riqueza na sua forma mais estéril, abstrata, que, em contraposição à aquisição de máquinas e equipamentos, não carrega qualquer expectativa de geração de novo valor, de emprego de trabalho vivo. O que era uma forma de evitar a destruição da riqueza abstrata está a provocar a necrose do tecido econômico.

A história do capitalismo está infestada de episódios de crises de liquidez, sempre deflagradas depois de uma expansão do crédito criado *ex nihilo* pelo sistema bancário. Quando a euforia se converte no medo e na incerteza, os agentes racionais se transformam num tropel de búfalos enfurecidos na busca da "liquidez", ou seja, na captura do dinheiro em sua determinação essencial de forma geral do valor e da riqueza.

Esses episódios cada vez mais frequentes estariam na cauda da distribuição de probabilidades. Os chamados "eventos de cauda" – como por exemplo, a valorização (e o colapso) dos preços dos ativos lastreados em hipotecas (*asset backed securities*) – não podem ser considerados versões ampliadas das pequenas flutuações. Isto porque os episódios de euforia contagiosa e de busca desesperada da liquidez deformam a própria distribuição de probabilidades.

Atormentadas pelos mistérios e contradições da finança, almas aflitas, como Olivier Blanchard (ex-economista-chefe do FMI) e Lawrence Summers (ex-Secretário do Tesouro do Governo Bill Clinton), confessaram: na euforia das autocongratulações, os corifeus dos modelos Dinâmicos Estocásticos de Equilíbrio Geral esqueceram de incluir em seus modelos os bancos, o crédito e os volúveis humores dos mercados que negociam títulos de dívida e ações.

Os dois reconhecem em seu texto *Rethinking Stabilization Policy: Back to the Future* (outubro de 2017): "Ao longo de décadas, Hyman

Minsky advertiu para as consequências da construção de riscos financeiros (...). Vamos dar dois exemplos de questões fulcrais para as políticas econômicas que permanecem não-resolvidas: primeiro, assegurado que as bolhas de ativos eclodem e que sua interação com a alavancagem excessiva é crucial para a compreensão das crises financeiras, qual a importância relativa dos diferentes mecanismos? Um mecanismo é a perda de capital dos intermediários financeiros que respondem contraindo o crédito e derrubando a atividade econômica".

Concluem os arrependidos: "os eventos dos últimos dez anos colocaram em dúvida a presunção de que as economias são capazes de se auto estabilizarem, levantaram novamente a questão se choques temporários produzem efeitos permanentes e demonstraram a importância das não linearidades".

É oportuno relembrar que nos modelos de equilíbrio geral, a racionalidade dos agentes se exerce em um espaço de preços relativos "reais" que garantem *ex ante* o equilíbrio das transações em todas as datas e contingências.

Já nas hipóteses da escola austríaca de von Mises a Hayek o "processo de mercado" não se apoia no formalismo do equilíbrio geral, mas decorre da fluência e disponibilidade das informações para todos os indivíduos-protagonistas. A dinâmica do sistema está submetida à decisão crucial e intertemporal que define a preferência dos agentes individuais entre consumo presente e consumo futuro.

A divisão da renda pelo público entre consumo e poupança depende da taxa natural de juro. A taxa natural reflete a "produtividade do capital" no sentido de Wicksell, Böhm-Bawerk e demais economistas da Escola Austríaca. Trata-se da taxa que exprime a relação entre consumo presente e consumo futuro, ou seja, entre a utilização dos recursos reais no presente (consumo) ou no futuro (poupança/investimento). O investimento é um processo longo e indireto de acesso ao consumo (*roundaboutness*), o consumo diferido.

A teoria dos fundos emprestáveis (poupança acumulada nos depósitos bancários) está fundada na suposição que atribui aos bancos a

CAPÍTULO VI - GLOBALIZAÇÃO DESIGUAL E COMBINADA

condição de meros intermediários entre poupadores e "gastadores". As operações de crédito, mediadas pela taxa natural de juro, apenas redistribuem as posições entre credores e devedores, refletindo distintas preferências entre consumo presente e consumo futuro (investimento), sem qualquer efeito sobre a estabilidade macroeconômica. Trata-se simplesmente de uma redistribuição de riqueza. A dívida de A é o crédito de B: os balanços se transformam simetricamente e, assim, não haveria a possibilidade de uma "crise de crédito" provocada por uma alavancagem excessiva.

Claudio Borio adverte que "poupança e financiamento não são equivalentes (...). Eles são equivalentes no modelo, mas não em geral e, mais ao ponto, no mundo real (...) tais interpretações das finanças são em grande medida baseadas em livros texto sobre fundos prestáveis (...). Esta é uma visão das finanças excessivamente estreita e restrita, pois ignora o papel do crédito monetário (...). Poupança e financiamento não são equivalentes em geral. Em uma economia monetária, o constrangimento de recursos (real) e o constrangimento do fluxo de caixa (monetário) diferem, porque bens não são trocados por bens, mas por dinheiro ou demanda por ele (crédito). Então crédito e dívida não são realizados pela troca de recursos reais, mas por direitos financeiros sobre esses recursos".

Os estudos de Piketty sobre o papel da dívida pública na composição da riqueza privada nos primórdios do capitalismo mostram a importância do ativo-passivo emitido pelos governos na transição dos patrimônios imobilizados na terra para a riqueza móvel e líquida. Assim, o Banco da Inglaterra mediou as trepidações e expropriações da acumulação primitiva.

No capitalismo "financeirizado" do século XXI, a apropriação de renda "rentista" está intimamente associada ao inchaço das dívidas públicas nacionais. Para a compreensão da "nova dinâmica" do enriquecimento e da desigualdade é necessário avaliar, na esteira de Piketty, o papel do endividamento público na valorização do capital fictício e na transmissão da riqueza entre as gerações (gráfico 7).

GRÁFICO 7

Dívida pública como % do PIB (países selecionados da OCDE incluídos), média não ponderada: Áustria, Bélgica, Canadá, França, Alemanha, Itália, Japão, Holanda, Noruega, Suécia, Reino Unido, Estados Unidos

DÍVIDAS DOS GOVERNOS - % DO PIB
Países selecionados da OCDE - 1970-2011

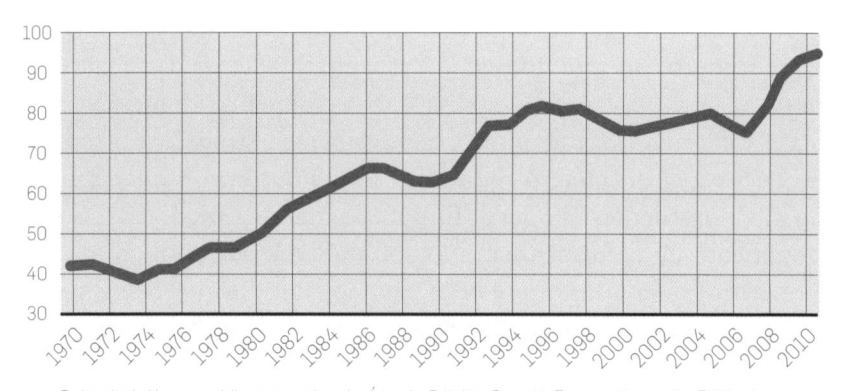

Países incluídos na média não ponderada: Áustria, Bélgica, Canadá, França, Alemanha, Itália, Japão, Holanda, Noruega, Reino Unido e Estados Unidos

Fonte: OECD Economic Outlook: Statistics and Projections (Database).

Os títulos dos governos se constituem no "lastro de última instância" dos mercados financeiros globais "securitizados". No que respeita à segurança e à liquidez, há uma hierarquia entre os papéis soberanos emitidos pelos distintos países, supostamente construída a partir dos fundamentos fiscais "nacionais". Mas essa escala hierárquica reflete, sobretudo, a hierarquia das moedas nacionais, expressa nos prêmios de risco e de liquidez acrescidos às taxas básicas de juros dos países de moeda não conversível.

O diferencial de juros entre aqueles vigentes na "periferia" e os que prevalecem nos países "desenvolvidos" está determinado pelo "grau de confiança" que os mercados globais estão dispostos a conferir às

CAPÍTULO VI - GLOBALIZAÇÃO DESIGUAL E COMBINADA

políticas nacionais dos clientes que administram moedas destituídas de reputação internacional.

6.2 O QUANTITATIVE EASING E AS METAMORFOSES DA RIQUEZA

Na crise de 2008, o *Federal Reserve* e seus pares no mundo desenvolvido não vacilaram. Trataram de prover liquidez para administrar a desalavancagem e conter a qualquer custo a contração do mercado interbancário e a evaporação dos *money markets*. Os balanços dos bancos centrais abriram as comportas para a inundação de ativos sem preço nem reputação.

A política de inundação de liquidez (*quantitative easing*) descarregou trilhões nos bancos. O "independente" *Federal Reserve* utilizou trilhões de dólares públicos para a compra de títulos podres privados. A ampliação desmesurada da "oferta de moeda" não gerou inflação e muito menos engendrou expansão do crédito para a produção, frustrando os adeptos da teoria quantitativa (Gráfico 8).

A crise impôs aos governos manobras desesperadas de transformação de passivos privados em débitos públicos. Os Bancos Centrais – uns mais, outros menos – cuidaram de absorver ativos privados em seus balanços, enquanto os Tesouros se incumbiam da emissão generosa de títulos públicos para sustentar a liquidez das carteiras de ativos dos bancos privados. Não por acaso, os lucros dos bancos estão parrudos, turbinados *urbi et orbi* pelas operações de tesouraria.

GRÁFICO 8
Mais e mais e mais!
Balanço agregado dos maiores Bancos Centrais

MAIS E MAIS E MAIS...
Balanço agregado de grandes bancos centrais e % do PIB

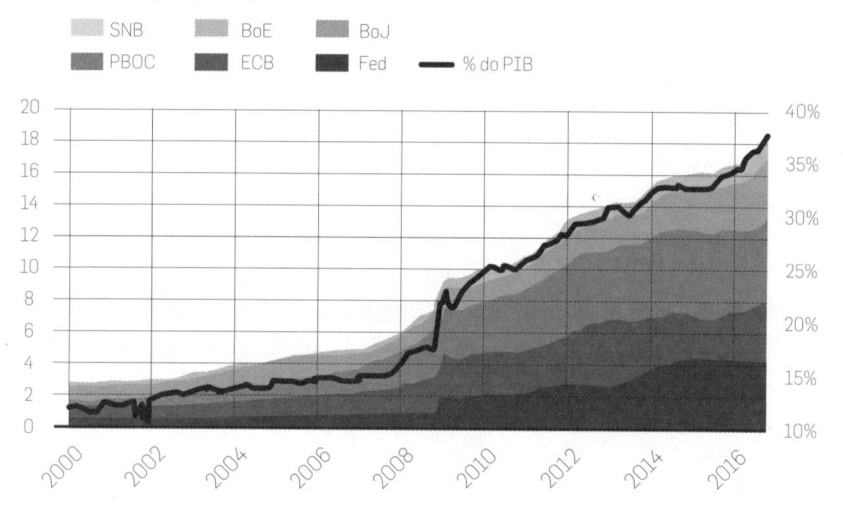

SNB BoE BoJ
PBOC ECB Fed — % do PIB

Fonte: Citi Research, Haver.

A experiência do *Quantitative Easing* demonstra a articulação estrutural e contraditória entre o sistema de crédito, a acumulação produtiva das empresas, o consumo privado e a gestão das finanças do Estado, particularmente da dívida pública. Na crise financeira e bancária, o caráter essencialmente "coletivista" da economia monetária da produção, ou seja do capitalismo, surge no naufrágio financeiro como a tábua de salvação aos desatinados mercados privados. As relações entre as finanças públicas, a gestão monetária e o setor financeiro privado não são "externas", de mero intervencionismo. São orgânicas e constitutivas. Nos tempos de "normalidade", as formas socializadas do poder privado permitem diversificar a riqueza de cada grupo, distribuí-la por vários mercados e assegurar o máximo de ganhos patrimoniais, se possível a curto prazo. Os agentes dessas operações são as instituições da finança privada.

CAPÍTULO VI - GLOBALIZAÇÃO DESIGUAL E COMBINADA

São elas que procuram antecipar movimentos de preços e definir os instrumentos de *hedge* e os riscos de contraparte nos mercados financeiros contemporâneos. Na era da finança global, a integração desses mercados submeteu o processo de "precificação" dos ativos privados e públicos denominados em moedas distintas às antecipações acerca dos rendimentos dos ativos "de última instância", líquidos e seguros, emitidos pelo Estado emissor da moeda-reserva.

Em condições de incerteza, os bancos e demais instituições financeiras cuidam de antecipar o estado da liquidez dos mercados de acordo com as expectativas a respeito da evolução dos balanços das empresas, famílias, governos e países, ou seja, das mudanças nas relações entre os preços de dois *estoques*: a valorização esperada dos ativos públicos e privados e as avaliações sobre a "qualidade" das dívidas que financiam sua posse.

As análises e avaliações dos efeitos do *quantitative easing* quase sempre ignoram a importância da expansão da dívida pública para o saneamento e recuperação dos balanços dos bancos. Salvos da desvalorização dos ativos podres que carregavam e agora empanturram o balanço dos Bancos Centrais, os bancos privados e outros intermediários financeiros garantiram a qualidade de suas carteiras e salvaguardaram seus patrimônios carregando títulos públicos com rendimentos reduzidos, mas valorização assegurada. Só o poder do Estado como gestor da moeda pode garantir o valor da riqueza (Figura 2 e Gráficos 9 e 10).

FIGURA 2

Mecanismo global de transformação de débito privado em débito público (socialização das perdas)

MECANISMO GLOBAL DE TRANSFORMAÇÃO DE DÉBITO PRIVADO EM DÉBITO PÚBLICO
Socialização das perdas

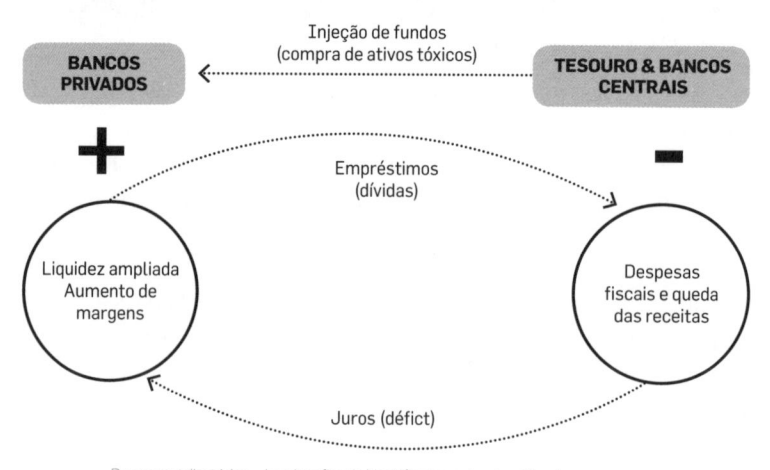

BANCOS PRIVADOS ←·········· Injeção de fundos (compra de ativos tóxicos) ·········· TESOURO & BANCOS CENTRAIS

+ ·········· Empréstimos (dívidas) ··········→ **−**

Liquidez ampliada Aumento de margens

Despesas fiscais e queda das receitas

←·········· Juros (défict) ··········

Despesas tributárias = brechas fiscais identificadas e desclassificadas

CAPÍTULO VI - GLOBALIZAÇÃO DESIGUAL E COMBINADA

GRÁFICO 9
Aumento da dívida do Governo durante a crise financeira

AUMENTO DA DÍVIDA DO GOVERNO DURANTE A CRISE FINANCEIRA
% da Dívida Pública

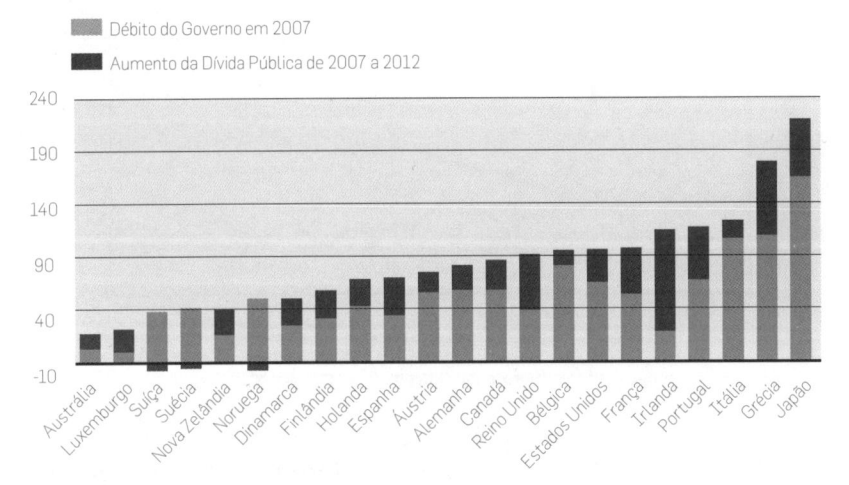

- Débito do Governo em 2007
- Aumento da Dívida Pública de 2007 a 2012

Fonte: OCDE Economic Outlook, Statistics and Projections (Database).

GRÁFICO 10
Endividamento na sequência da crise: os EUA

ENDIVIDAMENTO NA SEQUÊNCIA DA CRISE: OS EUA
Em %

— Taxa de inflação   ▪▪▪▪ Dívida do Governo   ◊◊◊◊ Dívida

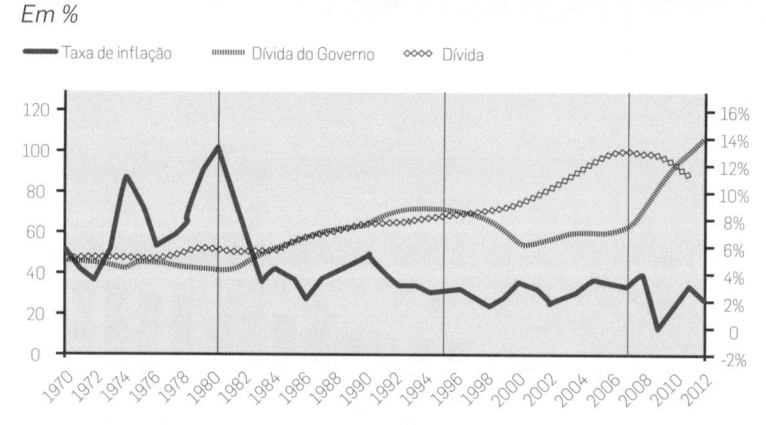

Fonte: OECD Economic Outlook, Statistics and Projections (Database).

A fixação do "preço do dinheiro", forma geral da riqueza, pelo Banco Central (taxa de juros básica) tem o propósito de influenciar o movimento das taxas longas e, portanto, afetar as mudanças na margem da composição dos portfólios (estoques de ativos financeiros e reprodutivos) dos possuidores de riqueza, mudanças intermediadas pelo sistema bancário. A taxa de juro longa exprime, em cada momento, o estado das expectativas que informa as decisões dos detentores de riqueza, temerosos entre as incertezas de criação de riqueza nova (a posse de um novo ativo reprodutivo) e a defesa da riqueza já criada mediante o deslocamento da carteira para os ativos mais líquidos. Nos momentos de "crise de liquidez", os portfólios se precipitam em massa para o ativo que encarna no imaginário social e na prática dos agentes privados a forma geral da riqueza. No entanto, se todos correm para a liquidez, poucos conseguem. Na dança das cadeiras, muitos ficam sem assento. Só o provimento de liquidez pelo Banco Central salva. Salva, mas acentua a "preferência pela liquidez" dos bancos, empresas e famílias, impulsionando as divergências entre a expansão da riqueza financeira e o gasto produtivo na formação da renda.

CAPÍTULO VI - GLOBALIZAÇÃO DESIGUAL E COMBINADA

Um estudo do *Board of Governors* do *Fed*, publicado em novembro de 2015, ilumina esse ponto: *"(...) em reação à turbulência financeira e ao rompimento do crédito associado à crise financeira global, corporações procuraram ativamente aumentar recursos líquidos a fim de acumular ativos financeiros e reforçar seus balanços. Se esse tipo de cautela das empresas tem sido relevante, isso pode ter conduzido a investimentos mais frágeis do que o normalmente esperado e ajuda a explicar a fraqueza da recuperação da economia global (...). Descobrimos que a contraparte do declínio nos recursos voltados para investimentos são as elevações nos pagamentos para investidores sob a forma de dividendos e recompras das próprias ações (...) e, em menor extensão, a acumulação líquida elevada de ativos financeiros".*

A expansão da liquidez financia a aquisição de ativos já existentes, reais ou financeiros, como a recompra das próprias ações ou o aumento de recursos líquidos a fim de acumular ativos financeiros e reforçar balanços, em vez de financiar a aquisição de bens e serviços. Novas bolhas de ativos.

O relatório Anual do Banco de Compensações Internacionais de 2014/2015 aponta a incapacidade da teoria dominante de avaliar o que ocorre no "mundo real": "Se expurgamos a visão analítica prevalecente de suas nuances e nos fixamos em sua influência no debate a respeito das políticas econômicas, nos deparamos com uma lógica simples. Há um excesso ou deficiência de demanda para a produção doméstica (hiato do produto), o que determina a inflação, ou pelo menos suporta as expectativas inflacionárias. As políticas de demanda agregada devem ser utilizadas, portanto, para eliminar o hiato de produto e assim alcançar o pleno emprego e a estabilidade do nível geral de preços; as políticas fiscais afetam diretamente o gasto e a política monetária afeta indiretamente o dispêndio agregado mediante o manejo da taxa real de juro. A taxa de câmbio flutuante permite às autoridades liberdade para fixar os objetivos da política monetária. Se cada país ajusta as políticas fiscal e a monetária de modo a fechar o hiato do produto, período após período, tudo anda no melhor dos mundos".

O relatório desqualifica as políticas econômicas que ignoram a globalização financeira e seus fluxos de capitais, insistindo em medidas sempre voltadas para o curto prazo e destinadas a "colocar a casa em ordem".

LUIZ GONZAGA BELLUZZO; GABRIEL GALÍPOLO

Desgraçadamente, lamentam os economistas do BIS, "os fatores financeiros ainda flutuam na periferia do pensamento macroeconômico". A falha de inteligência perdurou na posteridade da crise, a despeito dos esforços desesperados dos "economistas sérios" para enfiar nos modelos canônicos os bancos e as perturbadoras relações crédito-débito, fontes dos ciclos de valorização-desvalorização de ativos.

Mais adiante, o relatório vai insistir nos riscos embutidos no comportamento dos mercados financeiros pós-crise, empurrados para outra bolha nas bolsas e nos preços elevados (e rendimentos baixos) dos bônus privados e públicos. Enquanto a bolha cresce, o desempenho da "economia real" patina. "Isso tem tudo a ver com a forma de expansão do crédito. Ao invés de financiar a aquisição de bens e serviços, o que eleva os gastos e o produto, a expansão do crédito está simplesmente financiando a aquisição de ativos já existentes, sejam eles 'reais' (imóveis ou empresas) ou financeiros".

As Bolsas dos EUA e os rendimentos nanicos dos bônus do Tesouro fumegam os vapores que sopram às alturas os preços dos ativos. Nas horas vagas e nas outras também, as empresas se entregam à bulha da recompra das próprias ações e mandam bala na distribuição de dividendos com a grana do *Federal Reserve*.

Não são desprezíveis os riscos embutidos no comportamento dos mercados financeiros pós-crise, empurrados para outra bolha nas Bolsas e nos preços elevados (e rendimentos baixos) dos bônus privados e públicos. Diga-se que, no "planeta Ocidente", são as empresas e bancos que "financiam" os mercados de ações ao tomar crédito barato para comprar de volta os papéis (*buy back*) negociados e abrigá-los em tesouraria, com o propósito de turbinar os preços e agradar aos acionistas, proporcionando ganhos para os administradores remunerados com *stock options*.

A experiência da crise de 2007 mostra que as injeções de liquidez destinadas a impedir o colapso financeiro e a paralisia dos mercados interbancários contiveram a derrocada dos preços dos ativos, mas não conseguiram reanimar a economia. A visão keynesiana tradicional apoia suas recomendações de política fiscal na possibilidade de a ação do governo

CAPÍTULO VI - GLOBALIZAÇÃO DESIGUAL E COMBINADA

vencer a desconfiança e o pessimismo do setor privado. As últimas décadas revelam uma forte tendência ao apodrecimento dos *animal spirits* dos acionistas e executivos das empresas. As estratégias financeiras valorizam os ganhos de curto prazo e, por isso, estimulam os programas de *buy back* de ações (compra das próprias ações com o propósito de valorizá-las e favorecer a distribuição de dividendos).

Assim, após o *quantitative easing*, a liquidez assegurada pelos Bancos Centrais permanece represada na posse dos controladores da riqueza velha, o rastro real e financeiro da riqueza já acumulada. Os controladores da riqueza líquida rejeitam a possibilidade de vertê-la em criação de riqueza nova, com medo de perdê-la nas armadilhas da capacidade sobrante e do desemprego disfarçado nos empregos precários com rendimentos cadentes.

Desamparados do empuxo da demanda, os Bancos Centrais rebaixam suas taxas de juros para o sub zero, tentam mobilizar a liquidez empoçada para o crédito e do crédito para a demanda de ativos reais ao longo do tempo. Ainda intoxicados pela metabolização dos ativos ingeridos em seus balanços para salvar o sistema financeiro em 2008, os governos hesitam em estimular a economia pela política fiscal.

Em artigo publicado no *Brookings Institute*, em parceria com Łukasz Rachel, Lawrence Summers retoma suas perplexidades com a estagnação secular, anomalia denunciada pelas taxas de juros reais muito baixas: "Acreditamos que as tendências à baixas taxas de juros são mais bem compreendidas em termos de mudanças nas relações entre poupança e investimento ou, de modo equivalente, em termos das alterações nas formas de posse da riqueza almejada pelos consumidores e no desejo de acumulação de capital pelos produtores. Ainda que os fatores envolvendo liquidez, escassez e risco, influenciam, sem dúvida, os níveis de taxas de juros reais, entendemos bastante implausível que sejam os principais fatores determinantes dessa tendência. Os movimentos são demasiado amplos e disseminados pelo espectro de ativos, com pequenas variações entre os spreads para justificar a dominância dos fatores liquidez, escassez e risco. Em segundo lugar, a taxa neutra teria declinado ainda mais nas últimas décadas se não fossem os aumentos na dívida pública e nos programas de seguridade social. Extrapolações lineares das regras convencionais relativas ao impacto de déficits e dívidas na taxa de juros, assim como cálculos que utilizam modelos caseiros de equilíbrio geral sugerem que as políticas fiscais promovem o aumento das taxas de juros (...). Mas os resultados de nossa análise atribuem o crescimento do déficit e da dívida ao aumento da poupança vis a vis ao investimento. (...). São muitas as preocupações a respeito dos efeitos tóxicos das baixas taxas de juros, incluindo aquelas que sugerem bolhas e alavancagem excessiva, na medida em que encorajam a tomada de risco e a má alocação de capital ao reduzir o custo do endividamento e as taxas de retorno requeridas, reforçar o poder de monopólio, beneficiar os mais velhos em prejuízo dos mais jovens ao tornar mais difícil o "funding" da seguridade social para os novos entrantes. A possibilidade final reside em medidas estruturais que reduzam a poupança e promovam o investimento. São desejáveis políticas regulatórias transparentes que encorajem o investimento sem sacrificar objetivos sociais. Resta saber se estão disponíveis. Os incentivos ao investimento também vão ajudar a promover a demanda. Políticas que reduzem as exigências de poupar para a aposentadoria, como, por exemplo, o fortalecimento da seguridade social, vão incentivar a demanda, mesmo em condições de equilíbrio orçamentário. Também operam nessa direção as políticas de redistribuição de renda favoráveis aos que possuem maior propensão a consumir".

Em suas perplexidades, Summers hesita em abandonar os pressupostos convencionais acerca da relação poupança – investimento. Isso a despeito de ter mencionado desencontros entre "as tendências na posse da riqueza desejada pelos consumidores e o desejo de acumulação de capital pelos produtores".

Deve-se admitir que para um rebelde que se movimenta no interior do *mainstream* é incômodo abandonar os pressupostos que informam as decisões intertemporais de consumidores e produtores, sempre guiados pela racionalidade individual. Nesse paradigma não é possível admitir a existência da hierarquia de poder entres as categorias sociais, ou, para usar a linguagem da heterodoxia envergonhada, entre os agentes heterogêneos. Tudo indica que no capitalismo essa assimetria de poder engendra, como mostra Piketty, uma tendência sistêmica à desproporção crescente entre riqueza e renda

CAPÍTULO VI - GLOBALIZAÇÃO DESIGUAL E COMBINADA

6.3 DOMINÂNCIA FINANCEIRA, AUMENTO DA DESIGUALDADE E DEMANDA EFETIVA

Até meados dos anos 70 do século passado, foi dito acima, as economias desenvolvidas prosperaram em um ambiente de ganhos de produtividade, sistemas de crédito direcionados para o investimento, aumento dos salários reais, redução das desigualdades e ampliação dos direitos sociais.

Em seu formato "fordista" esse circuito era ativado primordialmente pela demanda de crédito para financiar o gasto dos empresários, confiantes nos efeitos recíprocos da expansão da renda dos trabalhadores, dos lucros corporativos e das pequenas e médias empresas espalhadas no comércio e na indústria. O circuito da renda e do emprego se desenvolvia, então, nos espaços nacionais, impulsionando o adensamento das relações entre a manufatura, os serviços e a agricultura.

Nos primórdios do século XX, o capitalista Henry Ford já havia entendido que os salários, ademais de custo para as empresas, são também fonte de demanda para seus automóveis. Compreendeu que a formação da renda e da demanda agregadas depende da disposição de gasto dos empresários com salários e outros meios de produção que também empregam assalariados. Ao decidir gastar com o pagamento de salários e colocar sua capacidade produtiva em operação ou decidir ampliá-la, o coletivo empresarial avalia a perspectiva de retorno de seu dispêndio imaginando o dispêndio dos demais.

Afirma Marx nos *Grundrisse*: "Quando se trata de seu trabalhador, todo capitalista sabe que não se confronta com ele como produtor frente ao consumidor, e deseja limitar ao máximo seu consumo, i.e., sua capacidade de troca, seu salário. Naturalmente, ele deseja que os trabalhadores dos outros capitalistas sejam os maiores consumidores possíveis de sua mercadoria. Todavia, a relação de cada capitalista com os seus trabalhadores é de fato a relação de capital e trabalho, a relação essencial. No entanto, provém precisamente daí a ilusão – verdadeira para o capitalista individual – de que, excetuando-se seus trabalhadores, todo o resto da classe trabalhadora se defronta com ele, não como trabalhadores, mas como consumidores e trocadores – gastadores de dinheiro (...). Portanto, o próprio capital considera a demanda dos trabalhadores – i.e., o pagamento do salário, no qual se baseia essa demanda – não como ganho, mas como perda (...). O capital se apresenta como uma forma peculiar da relação de dominação precisamente porque o trabalhador se defronta com ele como consumidor e detentor de valor de troca, na forma de possuidor de dinheiro (...). Portanto, de acordo com sua natureza, o capital põe um obstáculo para o trabalho e a criação de valor que está em contradição com sua tendência de expandi-los contínua e ilimitadamente. E uma vez que tanto põe um obstáculo que lhe é específico quanto, por outro lado, avança para além de todo obstáculo, o capital é a contradição viva".

Depois da crise de 2008, as economias centrais se contorcem nas angústias da desalavancagem das famílias e, portanto, estão às voltas com a ruptura de um elo crucial do circuito de formação do emprego e da renda.

Em seu progresso contraditório, a redistribuição espacial da manufatura, a hiperindustrialização e o ingurgitamento da riqueza financeira rentista engendraram a precarização do emprego, a queda dos rendimentos dos trabalhadores e, assim, reduziram a capacidade de difusão do gasto das empresas e desestimularam a demanda. Como foi dito acima, no último ciclo de euforia global, as famílias submetidas à lenta evolução dos rendimentos sustentaram a expansão do consumo na vertiginosa expansão do crédito, que cria poder de compra adicional para as famílias de baixa e média renda, ao mesmo tempo em que as aprisiona no ciclo infernal do endividamento crescente. No topo da pirâmide da distribuição da riqueza e da renda, os credores líquidos engordam seus portfólios com a valorização dos ativos imobiliários e financeiros.

Os detentores de riqueza financeira apropriam-se, ademais, do "tempo livre" criado pelo avanço tecnológico que promove simultaneamente a desqualificação da massa assalariada e a polarização do mercado de trabalho; os "desqualificados" tornam-se dependentes crônicos do endividamento, sempre ameaçados pelo desemprego e, portanto, obrigados a competir desesperadamente pela sobrevivência.

CAPÍTULO VI - GLOBALIZAÇÃO DESIGUAL E COMBINADA

A reestruturação do capitalismo envolveu mudanças profundas no modo de operação das empresas, na integração dos mercados e na esfera da soberania do Estado. O verdadeiro sentido da globalização é o acirramento da concorrência entre empresas, trabalhadores e nações, inserida em uma estrutura financeira global monetariamente hierarquizada, comandada pelo poder do dólar.

Sob os auspícios do capital financeiro e de um sistema monetário internacional assimétrico, ocorreu a brutal centralização do controle das decisões de produção, localização e utilização dos lucros em um núcleo reduzido de grandes empresas e instituições financeiras à escala mundial. A centralização do controle impulsionou e foi impulsionada pela fragmentação espacial da produção.

A convergência entre a centralização do controle pela finança e a fragmentação espacial da produção foi fomentada e acompanhada do aprofundamento das inter-relações entre bancos comerciais, bancos de investimento, seguradoras, fundos de pensão e fundos de *hedge*. A centralização do comando no capital financeiro alterou profundamente a estratégia da grande empresa produtiva.

Nos Estados Unidos, o volume de crédito destinado a financiar posições em ativos já existentes cresceu a uma velocidade muito superior àquela apresentada pelos empréstimos destinados ao gasto produtivo. Como proporção do PIB, o valor dos empréstimos bancários para outras instituições financeiras é hoje quatro vezes maior do que os créditos destinados a financiar a criação de emprego e renda no setor produtivo.

Em sua configuração atual, o capitalismo escancara a incapacidade de entregar o que promete aos cidadãos. A exclusão manifesta-se no desemprego dos jovens, no desemprego estrutural promovido pela transformação tecnológica e pela migração da manufatura para as regiões de baixos salários.

Os debates sobre o *Brexit*, assim como os discursos de Trump e Sanders nos Estados Unidos, escracham as ingenuidades do debate binário entre progressistas e conservadores. Nesse compasso de dois tempos, a falsa dicotomia "mais mercado e menos Estado" ou "menos mercado e mais Estado" esconde a apropriação privada do Estado e do espaço público para aprisionar os indivíduos livres nas enxovias do despotismo mercantil e do monopólio da opinião.

O poeta e crítico literário Anis Shivani invadiu o terreno da crítica social para escrever um texto admirável a respeito das peripécias do neoliberalismo. Shivani espanca os engodos que desencaminham defensores e adversários do regime de liberdade vigiada. É um engano, diz ele, imaginar que o neoliberalismo é o retorno ao liberalismo clássico. O neoliberalismo pressupõe um Estado forte, operando exclusivamente em benefício dos ricos e poderosos, sem qualquer pretensão de neutralidade e universalidade. O capitalismo como forma de controle da sociedade e da vida humana encontrou sua epifania nas mudanças tecnológicas, no controle dos mercados globais pelas grandes empresas. "Em vez de reivindicarem a proteção social como um direito legítimo, os cidadãos sentem-se culpados, vexados e deprimidos por sua dependência dos programas governamentais".

Convencidos de sua liberdade, os indivíduos livres entregam seu destino aos grilhões da concorrência e às ilusões da meritocracia. Transtornados por suas culpas, os perdedores acomodam-se aos suplícios da exclusão e da desigualdade. Hegel diria que o capitalismo realizou o seu conceito.

Os cidadãos estão assombrados pelos fantasmas econômicos das "tecnocracias sem rosto", como disse o ator Michael Caine ao defender a saída do Reino Unido da União Europeia. Os governantes acuados pelos favores e poderes da alta finança tratam de cortar os direitos sociais e econômicos de seus cidadãos, enquanto proclamam a eficiência dos mercados. Sob o pretexto de enfrentar o corporativismo e a resistência dos "direitos adquiridos", os serviçais da globalização propõem o retorno aos padrões primitivos nas relações entre as forças do capital e as debilidades do trabalho. Advogam o encolhimento do sistema de proteção social criado para impedir a desgraça dos mais fracos, o sofrimento do homem comum atormentado pelas ameaças da precarização e do desamparo na saúde e na doença.

Esses são os princípios que vêm conduzindo as "reformas", tanto as dos países desenvolvidos quanto as mimetizadas por governantes de

CAPÍTULO VI - GLOBALIZAÇÃO DESIGUAL E COMBINADA

países periféricos. Julgam, com esses programas, estar comprando o ingresso para o clube dos ricos. Estão, na verdade, trocando a saúde, a educação do povo e o sossego dos velhos por miragens.

Quando perguntaram ao ex-ministro grego Yanis Varoufakis sobre o déficit democrático na União Europeia, ele soltou uma gargalhada e disse: "Déficit democrático? Não se tem democracia. A democracia real supõe que os cidadãos não só elejam como também tenham participação nas decisões diretamente mediante a construção de acordos sociais. Na verdade, estamos vivendo um período, no mundo inteiro, em que a democracia não é uma democracia, é uma oligarquia financeira e midiática que manda no mundo".

O *Brexit* e as eleições americanas exprimem o inconformismo com o estreitamento do espaço democrático e o desejo dos cidadãos de decidir sobre a própria vida no exercício da política.

Como foi dito acima, o capitalismo "social" e "internacional" do imediato pós-guerra transfigurou-se no capitalismo "global", "financeirizado" e "desigual". As políticas econômicas "internas" estão limitadas pela busca de condições impostas pelo ingurgitamento da riqueza-propriedade e pelo mercado de trabalho frouxo, a despeito cifras oficiais enganosas do desemprego.

A desarticulação econômica descortina uma nova fase, marcada por desencontros nas relações entre o modo de funcionamento dos mercados globalizados e os espaços jurídico-políticos nacionais ou apenas parcialmente "internacionalizados", como é o caso da União Europeia e, pior, da Zona do Euro. É duvidosa a viabilidade de soluções unilaterais. Yanis Varoufakis justificou sua posição contrária à saída da UE: "É improvável que sair vá levá-lo aonde você estaria econômica e politicamente se não houvesse entrado".

Mike Whitney divulgou estudo do *Pew Research Center* estimando apenas 38% dos franceses com uma visão favorável da União Europeia (em 2004 eram 69%). Na Espanha as opiniões favoráveis representam 47% da população (em 2007 eram 80%). Os economistas Sheila Dow e Alessandro Roncaglia, entre outros, apontam o divórcio entre a opinião dos especialistas e os sentimentos do homem médio nos Estados Unidos e na Europa.

O desemprego aberto e disfarçado, a precarização e a concentração de renda avançaram no mundo abastado. O crescimento dos trabalhadores em tempo parcial e a título precário foi escolhido pela destruição dos postos de trabalho na indústria de transformação. A evolução do regime do "precariato" constituiu relações de subordinação dos trabalhadores que se desenvolvem sob as práticas da flexibilidade do horário, temperadas com as delícias do trabalho "em casa". Essa "flexibilidade" torna o trabalhador permanentemente disponível para responder às exigências do empregador ou contratante.

O estudo *Crescente polarização da renda no Estados Unidos*, publicado pelo FMI, demonstra como os reflexos desses movimentos são sentidos de forma mais dramática na classe média.

As pessoas de renda média que representavam aproximadamente 58% da população dos EUA nos anos 1970 tiveram sua participação reduzida para 47% em 2014. A tendência de polarização é consistente para diferentes cortes de definição de renda média. A exclusão do 1% mais rico ou análises considerando idade, raça ou educação produzem o mesmo resultado.

Os dados de participação dos diferentes níveis de renda na economia corroboram a polarização observada na população. A participação da renda média na economia era de 47% em 1970 e caiu para aproximadamente 35% em 2014.

A contraparte desse decréscimo pode ser observada no aumento da participação da renda alta, dado que não há ganho para a baixa renda durante todo o período. O estudo conclui que esse movimento se explica pelo "baixo dinamismo do mercado de trabalho" norte-americano. A Oxfam afirma que entre 1978 e 2014 o salário típico de um trabalhador americano cresceu apenas 11%.

A vitória do nacionalismo xenófobo de Donald Trump nos EUA, a saída do Reino Unido da União Europeia, a tensão entre a Alemanha e a política monetária do senhor Mario Draghi na Zona do Euro, o Japão à beira da recessão e a desaceleração chinesa são eventos que apontam mudanças de grande alcance na dinâmica da economia mundial, resultantes da fratura do arranjo geoeconômico erigido nos últimos 40 anos.

REFERÊNCIAS BIBLIOGRÁFICAS

ADORNO, Theodor W.; HORKHEIMER, Max. *Dialética do esclarecimento*: fragmentos filosóficos. Rio de Janeiro: Jorge Zahar, 1985.

AGLIETTA, Michel. La preuve dans les sciences économiques. *L'économie politique,* n. 78, 2018.

_____; ORLÉAN, André. *La monnaie*: entre violence et confiance. Paris: Odile Jacob, 2002.

_____. *La violence de la monnaie*. Paris: Presses Universitaires de France, 1982.

AKYÜZ, Yılmaz. *External balance sheets of emerging economies*: Low-yielding assets, high-yielding liabilities. Genebra: South Centre, 2018.

ALSTADSÆTER, Annette; JOHANNESEN, Niels; ZUCMAN, Gabriel. Who owns the wealth in tax havens? Macro evidence and implications for global inequality. *NBER Working Paper*, Cambridge, n. 23805, set. 2017.

APPADURAI, Arjun. *Banking on words*: The failure of language in the age of derivative finance. Chicago: The University of Chicago Press, 2015.

ARNON, Arie. *Monetary theory and policy from Hume and Smith to Wicksell*. Cambridge: Cambridge University Press, 2011.

ARONIWITZ, Stanley; Di FAZIO, William. *The jobless future*. Minneapolis: University of Minnesota Press, 1994.

ARROW, Kenneth; DEBREU, Gerard. Existence of an equilibrium for a competitive economy. *Journal of the econometric society,* Illinois, v. 22, n.3, jul. 1954.

REFERÊNCIAS BIBLIOGRÁFICAS

BAMBACH, Charles R. *Heidegger, Dilthey and the crisis of historicism*. Ithaca, Londres: Cornell University Press, 1995.

BASTIAT, Federico. *Armonias economicas*. Madrid: Francisca Perez, 1858.

BELLUZZO, Luiz Gonzaga. *O capital e suas metamorfoses*. São Paulo: UNESP, 2013.

_____. Recriminações tardias. *Valor Econômico*, São Paulo, 21 jul. 2009.

_____. *O tempo de Keynes nos tempos do capitalismo*. São Paulo: Contracorrente, 2016.

_____. *Valor e capitalismo:* um ensaio sobre a economia política, 3.ed. Campinas: UNICAMP, 1998.

_____; ALMEIDA, Júlio Gomes de. *Depois da queda:* a economia brasileira da crise da dívida aos impasses do real. Rio de Janeiro: Civilização Brasileira, 2002.

_____; ANTUNES, Davi. *Cadeias globais e centralização da Propriedade*. Carta Capital, São Paulo, 2017.

_____; GALÍPOLO, Gabriel. *Manda quem pode, obedece quem tem prejuízo*. São Paulo: Contracorrente, 2017.

BENTHAM, Jeremy. *The principles of morals and legislations*. New York: Prometheus Books, 1988.

BERARDI, Franco. *And:* Phenomenology of the end. Cambridge: The MIT Press, 2014.

BERTOCCO, Giancarlo. *La crisi e le reponsabilità degli economisti*. Milano: Francesco Brioschi, 2015.

BLANCHARD, Olivier; SUMMERS, Lawrence. *Rethinking stabilization policy*: Back to the future. Washington: Peterson Institute for International Economics, 2017.

BORIO, Claudio; DISYATA, P. *Capital flows and the current account:* taking financing (more) seriously. Disponível em: <http://www.bis.org/publ/work525.pdf>.

_____; DISYATA, P.; JUSELIUS, M. *A parsimonious approach to incorporating economic information in measures of potential output*. Disponível em: <http://www.bis.org/publ/work442.pdf>. Acesso em 09 de setembro 2019.

REFERÊNCIAS BIBLIOGRÁFICAS

_____. On money, debt, trust and central banking. *BIS Working Papers*, n. 763, jan. 2019.

BOYER, Robert. Régulation theory and contemporary capitalism. *Review of political economy*, out. 2018.

CASSIRER, Ernst. *A Filosofia do Iluminismo*. Campinas: Editora da UNICAMP, 1992.

ÇESMELI, Isil. Is Adam Smith Heir of Bernard Mandeville? In BRAGA, Joaquim; PIRES Edmundo Balsemão (Coords.). Bernard de Mandeville's Tropology of Paradoxes. Berlin: Springer Verlag, 2015.

CIOCCA, Pierluigi; Nardozzi, Giangiacomo. *The high price of money*: an interpretation of world interest rates. Oxford: Clarendon Press, 1996

CIPOLLA, Carlo M. *Before the industrial revolution*: European society and economy, 1000-1700. 3ª ed. New York: W. W. Norton & Company, 1994.

_____. (Coord.). *The Fontana economic history of Europe:* the industrial revolution. Hassocks: Collins, 1973.

DE MICHELIS, Andrea; IACOVIELLO, Matteo. Raising an ination target: the japanese experience with Abenomics. *International Finance Discussion Papers*. n. 1168, maio 2016.

DOCKÈS, Pierre. *La société n'est pas um pique-nique*: Léon Walras et l'économie sociale. Paris: Economica, 1996.

DOSTALER, Gilles; MARIS, Bernard. *Capitalisme et pulsion de mort*, Paris: Albin Michel, 2009.

DUMONT, Louis. *Homo Aequalis*: genèse et épanouissement de l'idéologie économique. Paris: Gallimard, 1985.

DURAND, Cédric. The Profit–Investment Nexus in an Era of Financialisation, Globalisation and Monopolisation: A profit-centred perspective. *Review of political economy*. v. 30, n. 2, 2018.

EARLE, Joe; MORAN, Cahal; WARD-PERKINS, Zach. *The Econocracy*. Manchester: Manchester University Press, 2017.

FICHTE, J. G. *The closed commercial state*. New York: Suny Press, 2012.

FOUCAULT, Michel. *Nascimento da biopolítica:* curso dado no Collège de France (1978-1979). São Paulo: Martins Fontes, 2008.

REFERÊNCIAS BIBLIOGRÁFICAS

FULLARTON, John. *On the regulation of currencies:* Being an examination of the principles, on which it is proposed to restrict, within certain fixed limits, the future issues on credit of the Bank of England, and of the other banking establishments throughout the country. Londres: John Murray, 1845.

GAY, Peter. *The enlightenment*: An interpretation: the rise of modern paganism. New York: Norton & Company, 1966.

GLATTFELDER, James B. *Decoding complexity*: Uncovering patterns in economic networks. New York: Springer, 2013.

GODLEY, Wynne. Money and credit in a Keynesian model of income determination. *Cambridge Journal of Economics*, n.23, 1999.

_____; LAVOIE, Marc. *Monetary economics:* An integrated approach to credit, money, income, production and wealth. New York: Palgrave Macmillan, 2007.

Gross Capital Flows by Banks, corporates and sovereigns. *BIS Working Papers*, n. 760, dez. 2018.

HABERMAS, Jürgen. *Le discours philosophique de la modernité:* douze conferences. Paris: Gallimard, 1988.

HAYEK, Friedrich A. *Individualism and Economic Order*. Londres: Butler & Tanner Ltd., 1949.

_____. *Prices and production*. New York: Augustus M. Kelley, 1967.

_____. The primacy of the abstract. *In*: *New studies in philosophy, politics, economics and the history of ideas*. Londres: The Camelot Press Ltd., 1978.

_____. *The Road to Serfdom*. Londres: The Institute of Economic Affairs, 2005.

HECKSHER, Eli F. *Mercantilism*. Londres: Routledge, 1994.

HEGEL, Georg Wilhelm Friedrich. *Ciencia de la lógica*. Buenos Aires: Solar, 1968.

_____. *Fenomenologia del espíritu*. México, D.F.: Fondo de Cultura Económica, 1973.

HIRSCHMAN, Albert O. *The passions and the interests*: Political arguments for capitalism before its triumph. Princeton: Princeton University Press, 1977.

HOBBES, Thomas. *Behemoth*. Madrid: Tecnos, 1992.

REFERÊNCIAS BIBLIOGRÁFICAS

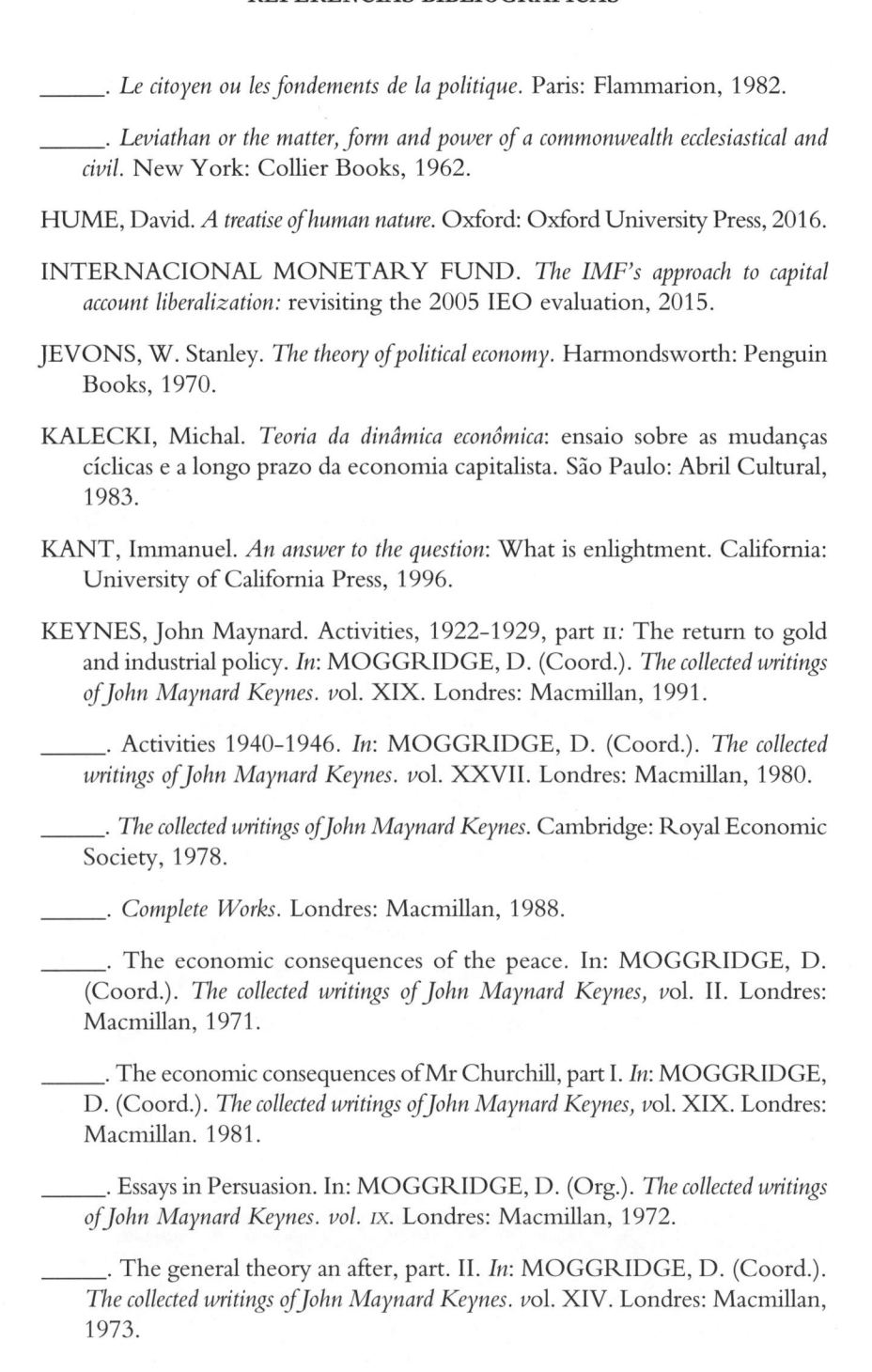

_____. *Le citoyen ou les fondements de la politique*. Paris: Flammarion, 1982.

_____. *Leviathan or the matter, form and power of a commonwealth ecclesiastical and civil*. New York: Collier Books, 1962.

HUME, David. *A treatise of human nature*. Oxford: Oxford University Press, 2016.

INTERNACIONAL MONETARY FUND. *The IMF's approach to capital account liberalization:* revisiting the 2005 IEO evaluation, 2015.

JEVONS, W. Stanley. *The theory of political economy*. Harmondsworth: Penguin Books, 1970.

KALECKI, Michal. *Teoria da dinâmica econômica*: ensaio sobre as mudanças cíclicas e a longo prazo da economia capitalista. São Paulo: Abril Cultural, 1983.

KANT, Immanuel. *An answer to the question*: What is enlightment. California: University of California Press, 1996.

KEYNES, John Maynard. Activities, 1922-1929, part II: The return to gold and industrial policy. *In*: MOGGRIDGE, D. (Coord.). *The collected writings of John Maynard Keynes*. *v*ol. XIX. Londres: Macmillan, 1991.

_____. Activities 1940-1946. *In*: MOGGRIDGE, D. (Coord.). *The collected writings of John Maynard Keynes*. *v*ol. XXVII. Londres: Macmillan, 1980.

_____. *The collected writings of John Maynard Keynes*. Cambridge: Royal Economic Society, 1978.

_____. *Complete Works*. Londres: Macmillan, 1988.

_____. The economic consequences of the peace. In: MOGGRIDGE, D. (Coord.). *The collected writings of John Maynard Keynes,* *v*ol. II. Londres: Macmillan, 1971.

_____. The economic consequences of Mr Churchill, part I. *In*: MOGGRIDGE, D. (Coord.). *The collected writings of John Maynard Keynes,* *v*ol. XIX. Londres: Macmillan. 1981.

_____. Essays in Persuasion. In: MOGGRIDGE, D. (Org.). *The collected writings of John Maynard Keynes*. *vol*. IX. Londres: Macmillan, 1972.

_____. The general theory an after, part. II. *In*: MOGGRIDGE, D. (Coord.). *The collected writings of John Maynard Keynes*. *v*ol. XIV. Londres: Macmillan, 1973.

REFERÊNCIAS BIBLIOGRÁFICAS

_____. The general theory an after, a supplement. *In*: MOGGRIDGE, D. (Coord.). *The collected writings of John Maynard Keynes,* vol. XXIX. Londres: Macmillan, 1979.

_____. O fim do "laissez-faire". *In*: SZMRECSÁNYI, Tamás (Coord.) *Keynes* (Economia). São Paulo: Ática, 1983.

_____. My early beliefs. *In*: MOGGRIDGE, D. (Coord.). *The collected writings of John Maynard Keynes,* vol. X. Londres: Macmillan, 1972.

_____. *Teoria geral do emprego, do juro e do dinheiro.* Rio de Janeiro: Fundo de Cultura, 1970.

_____. A tract on monetary reform. *In*: MOGGRIDGE, D. (Coord.). *The collected writings of John Maynard Keynes.* Vol. IV. Londres: Macmillan, 1971.

_____. *A treatise on money,* Vol. I. *In*: MOGGRIDGE, D. (Coord.). *The collected writings of John Maynard Keynes,* vol. V. Londres: Macmillan, 1971.

_____. A treatise on money, vol. II. *In*: MOGGRIDGE, D. (Coord.). *The collected writings of John Maynard Keynes,* vol. VI. Londres: Macmillan, 1971.

_____. A treatise on probability. *In*: MOGGRIDGE, D. (Coord.). *The collected writings of John Maynard Keynes.* Londres: Macmillan, 1973.

KINDLEBERGER, Charles P. *Manias, panics, and crashes*: A history of financial crises. New York: Basic Books, 1978.

KOCKA, Jurgen. *Capitalism:* A short history. Princeton: Princeton University Press, 2016.

KREGEL, J. A. Minsky's "two price" theory of financial instability and monetary policy: discounting vs. open market intervention. *In*. FAZZARI, S.; PAPADIMITRIOU, D. (Coords.). *Financial conditions and macroeconomic performance:* Essays in honor of Hyman P. Minsky. New York: Armonk, 1992.

LANDES, David S. *The unbound Prometheus:* Technological change and industrial development in western Europa from 1750 to the present. Cambridge: Cambridge University Press, 1987.

Lazonick, William. *Profits without prosperity*: How stock buybacks manipulate the market, and leave most americans worse off. University of Massachusetts Lowell, 2014.

LENHARD, Johannes; LIU, Rebecca. Farewell neoliberalism: An interview with Wolfgang Streeck. *New Left Review*, dez. 2017.

REFERÊNCIAS BIBLIOGRÁFICAS

LIST, Georg Friedrich. *Sistema nacional de economia política*. São Paulo: Abril Cultural, 1983.

LOCKE, John. *Ensaio acerca do entendimento humano*. São Paulo: Nova Cultural, 1999.

_____; BERKELEY, George; HUME, David. *The empiricists*. New York: An Anchor Press Book, 1974.

LOSURDO, Domenico. *Nietzsche, il ribelle aristocratico*: biografia intellettuale e bilancio critico. Torino: Bollati Boringhieri, 2002.

LUCAS JR., Robert E.; SARGENT, Thomas J. (Coords.). *Rational expectations and econometric practice*. Minneapolis: The University of Minnesota Press, 1984.

LUKÁCS, György. *Ontologia do ser social:* a falsa e a verdadeira ontologia de Hegel. São Paulo: Ciências Humanas, 1979.

LUKASZ, Rachel; SUMMERS, Lawrence H. On falling neutral real rates, fiscal policy, and the risk of secular stagnation. *Brooking papers on economic activity*, mar. 2019.

MACPHERSON, C. B. *A teoria política do individualismo possessivo:* de Hobbes a Locke. Rio de Janeiro: Paz e Terra, 1979.

MADDISON, Angus. *The world economy:* A millennial perspective. Paris: OECD, 2001.

MANDEVILLE, Bernard. *The fable of the bees*. New York: Penguin Books, 1989.

MARAZZI, C. *Capital and Language*. Los Angeles: Semiotext, 2007.

MARSHALL, Alfred. *Industry and trade*: A study of industrial technique and business organization; and of their influences on the conditions of various classes and nations. Honolulu: University Press of the Pacific, 2003.

_____. *Princípios de economia*: tratado introdutório. São Paulo: Abril Cultural, 1982.

MARX, Karl. *El capital*: crítica de la economía política, 4.ed. México, D.F.: Fondo de Cultura Económica, 1966.

_____. *Elementos fundamentales de la crítica de la economia política*. México: Siglo Veintiuno, 1971.

REFERÊNCIAS BIBLIOGRÁFICAS

_____. *Grundrisse:* manuscritos econômicos de 1857-1858: esboços da crítica da economia política. São Paulo: Boitempo, 2011.

_____. *A miséria da filosofia.* São Paulo: Ícone, 2004.

_____. *Storia delle teorie economiche:* la teoria del plusvalore da William Petty a Adam Smith. Torino: Giulio Einaudi, 1954.

_____. *Storia delle teorie econo*miche: David Ricardo. Torino: Giulio Einaudi, 1955.

_____. *Storia delle teorie economiche:* da Ricardo all'economia volgare. Torino: Giulio Einaudi, 1958.

_____; ENGEL, Friedrich. *Obras escolhidas,* v.1. Rio de Janeiro: Vitória, 1961.

MAZZUCATO, Mariana. *The Entrepreneurial State*: Debunking public vs. private sector myths. Londres: Anthem Press, 2013.

MAZZUCATO, Mariana. *Wealth creation and the entrepreneurial state*: building symbiotic public-private partnerships. Disponível em <https://www.ineteconomics.org/uploads/papers/Mazzucato-Value-Creation-the-Entrepreneurial-State-INET-version.pdf>. Acesso em 09 de setembro de 2019.

MCKINSEY GLOBAL INSTITUTE. *Globalization*: Retreat or reset?, 2013.

MILL, John Stuart. *Principles of political economy:* With some of their applications to social philosophy (books IV and V). Harmondsworth: Penguin Books, 1970.

MINSKY, Hyman P. *Can "it" happen again?*: Essays on instability and finance. Armonk: M. E. Sharpe, 1984.

_____. *Estabilizando uma economia instável.* São Paulo: Novo Século, 2010.

_____. *Money and crisis in Schumpeter and Keynes.* Disponível em: <http://digitalcommons.bard.edu/cgi/viewcontent.cgi?article=1333&context=hm_archive>. Acesso em 09 de setembro de 2019.

_____. *John Maynard Keynes.* New York: Columbia University Press, 1975.

_____. *Stabilizing an Unstable Economy.* New Haven: Yale University Press, 1996.

MIROWSKI, Philip. *Machine dreams*: economics becomes a cyborg science. Cambridge: Cambridge University Press, 2006.

_____. *Never let a serious crisis go to waste*: how neoliberalism survived the financial meltdown. Londres: Verso, 2014.

REFERÊNCIAS BIBLIOGRÁFICAS

_____; DIETER, Plehwe (Coords.). *The road from Mont Pèlerin*: The making of the neoliberal thought collective. Cambridge: Harvard University Press, 2009.

_____; NIK-KHAH, Edward. *The knowledge we have lost in information*: the history of information in Modern Economics. Oxford: Oxford University Press, 2017.

NASSAU, Senior W. *An outline of the science of political economy*. New York: Augustus M. Kelley, 1965.

NIETZSCHE, Friedrich Wilhelm. *A gaia ciência*. São Paulo: Companhia das Letras, 2001.

_____. *Obras incompletas*. São Paulo: Nova Cultural, 1999.

_____. *On the genealogy of morals*; Ecce homo. New York: Vintage Books, 1967.

_____. *The will to power*. New York: A Division of random house, 1968.

OECD. *Compendiun of produtivity indicators*. Paris, 2018.

PIKETTY, Thomas. *O capital no século* XXI. Rio de Janeiro: Intrínseca, 2014.

_____; ZUCMAN, Gabriel. Capital is back: wealth-income ratios in rich countries 1700–2010. The Quarterly Journal of Economics, v. 129, Issue 3, ago. 2014.

PISANI-FERRY, Jean. *Why democracy requires trusted experts*. Project Syndicate, 2016. Disponível em < https://www.project-syndicate.org >. Acesso em 09 de setembro de 2019.

QUESNAY, François. *Tableau économique des physiocrates*. Paris: Calmann-Lévy, 1969.

RAPLEY, John. *Twilight of Money Gods:* Economics as a religion and how it all went wrong. Londres: Simon & Schuster, 2017.

RICARDO, David. *The high price of bullion, a proof of the depreciation of bank notes*. Londres: The Perfect Library, 1810.

_____. *Princípios de economia política e tributação*. São Paulo: Abril Cultural, 1982.

ROBIN, Corey. *The reactionary mind*. Oxford: Oxford University Press, 2011.

ROSHER, Willem. *Principles of political Economy*. New York: The Perfect Library, 1877.

REFERÊNCIAS BIBLIOGRÁFICAS

SAY, Jean-Baptiste. *Tratado de economia política*. São Paulo: Abril Cultural, 1983.

SCHMOLLER, Gustav. *Politique sociale et économie politique:* questions fondamentales. Paris: V. Giard & E. Brière, 1902.

SCHUMPETER, Joseph A. *Fundamentos do pensamento econômico*. Rio de Janeiro: Zahar, 1968.

_____. *Teoría del desenvolvimiento económico:* una investigación sobre ganancias, capital, crédito, interés y ciclo económico. 4.ed. México, D.F.: Fondo de Cultura Económica, 1967.

_____. *Treatise on money*. Aalten: Wordbridge Publishing, 2014.

SELIGMAN, Ben B. *Principales corrientes de la ciencia económica moderna:* el pensamiento económico después de 1870. Barcelona: Oikos-Tau, 1966.

SEPPEL, Marten; TRIBE, Keith (Coords.). *Cameralisme in practice*. Woodbridge: The Boydell Press, 2017.

SHACKLE, G. L. S. *Epistemics e economics:* a critique of economic doctrines. Cambridge: Cambridge University Press, 1972.

SHAKESPEARE, W. *Macbeth*. Porto Alegre: Movimento, 2006.

SHIN, Jang-Sup. The subversion of shareholder democracy and the rise of hedge-fund activism. *Working Paper, n.* 77, jul. 2018.

SMITH, Adam. *The theory of moral sentiments*. Indianapolis: Liberty Fund, 1984.

_____. *The wealth of nations:* books I-III. Harmondsworth: Penguin Books, 1970.

SMITHERS, Andrew. *The road to recovery*: How and why economic policy must change. Londres: Wiley, 2013.

STANDING, Guy. *The corruption of capitalism*: why rentiers thrive and word does not pay. Londres: Biteback Publishing, 2017.

_____ . *The precariat*: the new dangerous class. Londres: Bloomsbury Academic, 2011.

STIGLITZ, Joseph E. America has a monopoly problem—and It's Huge. *The Nation*: New York, out, 2017.

STREECK, Wolfgang. How will capitalism end? *New Left Review,* maio-jun. 2014.

REFERÊNCIAS BIBLIOGRÁFICAS

TRENKLE, Norbert. *The crisis of labor and the limits of capitalist society.* Keynote lecture at the International Conference. abr. 2018.

_____. *Negatividade interrompida*: notas sobre a crítica de Horkheimer e Adorno a Kant e ao esclarecimento. 2002. Disponível em <https://www.crisis.org>. Acesso em 09 de setembro de 2019.

TSELICHTCHEV, Ivan. *China Versus the West*: The global power shift of the 21st century. Singapore: John Wiley & Sons Singapore Pte. Ltd, 2012.

TWAIN, Mark. *The portable.* New York: The Viking Press, 1968.

UNCTAD. *Trade and Development Report 2003.* Genebra: UNCTAD, 2003.

VEBLEN, Thorstein. *The theory of the leisure class.* Londres: Penguin Books, 1979.

VON MISES, Ludwig. *The theory of money and credit.* Indianapolis: Liberty Fund, 1981.

WALRAS, Léon. *Compêndio dos elementos da economia política pura.* São Paulo: Abril Cultural, 1983.

_____. *L'économie politique et la justice.* Paris: Guillaumin, 1860.

WEBER, Max. *Ciência e política*: duas vocações. São Paulo: Cultrix, 1970.

_____. *Economia y sociedad*: esbozo de sociologia comprensiva. México, D.F.: Fondo de Cultura Económica, 1984.

WHITEHEAD, Alfred Nortn. *Science and philosophy.* Early Bird Books, 1984.

WICKSELL, Knut. *Interest and prices*: A study of the causes regulating the value of money. Londres: Macmillan, 1936.

_____. *Lectures on political economy*: general theory. New York: Augustus M. Kelley, 1977.

_____. *Lectures on political economy.* Fairfield: Augustus M. Kelley, 1978.

WRAY, L. Randall (Ed.). *Credit and state theories of money.* Cheltenham, UK: Edward Elgar, 2004.

A Editora Contracorrente se preocupa com todos os detalhes de suas obras! Aos curiosos, informamos que este livro foi impresso no mês de setembro de 2019, em papel Pólen Soft 80g, pela Gráfica Rettec.